D0982707

Asha Dornfest

Mes parents sont plus "smattes" que les tiens!

134 RACCOURCIS FUTÉS
POUR UNE VIE DE FAMILLE
PLUS ZEN

Guy Saint-Jean
ÉDITEUR

Guy Saint-Jean Éditeur
3440, boul. Industriel
Laval (Québec) Canada H7L 4R9
450 663-1777
info@saint-jeanediteur.com
www.saint-jeanediteur.com

....

**Données de catalogage avant publication disponibles à Bibliothèque
et Archives nationales du Québec et à Bibliothèque et Archives Canada**

....

Nous reconnaissons l'aide financière du gouvernement du Canada par
l'entremise du Fonds du livre du Canada (FLC) ainsi que celle de la SODEC pour
nos activités d'édition.

Gouvernement du Québec – Programme de crédit d'impôt pour l'édition de
livres – Gestion SODEC

Publié initialement aux États-Unis en langue anglaise sous le titre :
PARENT HACKS®: 134 Genius Shortcuts for Life with Kids
© Asha Dornfest, 2016
© Guy Saint-Jean Éditeur inc., 2017, pour l'édition en langue française publiée
en Amérique du Nord avec l'autorisation de Workman Publishing Company,
New York

Traduction et révision : Lise Malo
Correction d'épreuves : Chloë Trihan
Conception graphique de l'intérieur : Jean-Marc Troadec
Mise en pages : Olivier Lasser
Conception graphique de la couverture : Dorian Danielson

Dépôt légal – Bibliothèque et Archives nationales du Québec, Bibliothèque et
Archives Canada, 2017

ISBN : 978-2-89758-245-6
ISBN PDF : 978-2-89758-246-3

Imprimé au Canada
1re impression, janvier 2017

Guy Saint-Jean Éditeur est membre de
l'Association nationale des éditeurs de livres (ANEL).

Table des matières

Pour Caron Arnold, Sara Carlstead Brumfield, Kara Hagen, Tracy Hengst, Adrienne Jones, Jim Jones, Elana Kehoe, Stu Mark, Rob Monroe, Duane Morin, Heather Petit, Jill Pohl, Kendra Riemermann, Marjorie Wheeler et Homa Woodrum. Ce livre et ma gratitude vous appartiennent. Nous l'avons fait ensemble.

Introduction

Le système D des parents

Les parents sont les personnes les plus ingénieuses et prolifiques du monde. Pas une seule journée de leur vie ne se déroule comme prévu. Élever des enfants, surtout dans les premiers temps, relève en bonne partie de l'art de l'improvisation. Vous naviguez à vue et, de temps à autre, vous tombez sur une solution géniale qui vous redonne espoir en la vie.

Mes parents sont plus smattes que les tiens! rend hommage au génie créatif que les parents déploient pour résoudre les problèmes de leur progéniture.

Vous adorez vos enfants, bien sûr. Mais la joie de les élever vient avec son cortège de désagréments, de dilemmes et de crises extrêmes, qui requièrent pour la plupart une réponse rapide dans des circonstances loin d'être idéales. La couche explose à des kilomètres d'une toilette… Oups! Vous avez oublié de remplir le sac à couches. Votre petite dort comme une souche jusqu'à ce que sa suce lui tombe de la bouche, et elle se réveille en hurlant. Vous avez sûrement vos propres histoires d'horreur, dont la dernière remonte probablement à pas plus tard qu'aujourd'hui.

Cet ouvrage propose des solutions créatives aux problèmes d'enfant, des raccourcis astucieux et des expédients qui permettent d'aller de l'avant.

Depuis 2005, je collectionne et transmets les solutions et les astuces des parents. Et ce, parce qu'en tant que jeune mère, j'ai voulu savoir, désespérément, *si quelqu'un, quelque part, savait ce qu'il faisait*.

«Ce n'est pas ce à quoi je m'attendais.» À l'adolescence, je gardais des enfants et me disais qu'avoir ses propres enfants serait plus ou moins la même chose. Bien sûr, ce serait plus exigeant, ça durerait plus longtemps et ça ne me rapporterait pas un sou, mais j'étais convaincue que mon mari et moi réussirions à élever nos enfants et à gérer notre maisonnée avec calme et assurance.

Mais les enfants pleuraient, la maison était sens dessus dessous et j'avais le sentiment de me noyer. Mon mari faisait tout son possible pour aider, mais je ne savais absolument pas comment m'aider moi-même. J'aimais ma famille et notre vie familiale, ce qui rendait cette épreuve encore plus difficile pour la jeune mère que j'étais.

J'ai donc fait ce qui m'avait toujours réussi par le passé : j'ai consulté les experts.

J'ai lu tous les livres sur l'éducation des enfants et la productivité qui me tombaient sous la main, en me disant (ou en espérant) que des gens plus *qualifiés* que moi auraient la réponse. J'ai adopté des systèmes de gestion du temps. J'ai appelé le pédiatre. J'ai adapté mon style de communication. J'ai appelé ma mère. J'ai dépensé quelques centaines de dollars sur des trucs d'organisation pour la maison. J'ai appelé mon psy.

Mais les conseils des experts n'ont pas arrangé les choses. Au contraire, ils ont sapé le peu de confiance en moi qui me restait. Je me sentais encore *plus* dépassée (surcharge d'information!) et encore *moins* apte à gérer quoi que ce soit. Le doute me rongeait petit à petit. Et sans médias sociaux à l'époque, il n'y avait pas moyen d'avoir un son de cloche autre que celui de mon cercle immédiat. Mon optimisme à toute épreuve a été durement éprouvé.

J'ai trouvé ma tribu en ligne. Et découvert les blogues, dieu merci! C'était une nouveauté à l'époque, à tel point qu'on avait le sentiment de découvrir un univers secret quand on en dénichait un. Peu à peu, les parents ont investi le Net, racontant leurs histoires en temps réel et sans les embellir. J'étais sonnée. Ce qu'on trouvait sur les blogues n'avait *rien* à voir avec les livres et les revues pour parents. Et la nature même du format donnait en prime ce qu'aucun livre ou magazine n'offrait : *une invitation à répondre.*

Je me suis lancée dans l'aventure et j'ai commencé à bloguer. La section des commentaires sur mon blogue (et sur d'autres blogues) est devenue ma caisse de résonance et ma soupape de défoulement, puis les lectrices et lecteurs et autres blogueurs et blogueuses de partout au pays sont devenus mes amis. Nous échangions des idées entre fuseaux horaires, nous nous moquions de nos marottes respectives et révélions des difficultés que nous avions peur d'avouer, même à nous-mêmes. Des amis locaux trouvaient bizarre que j'échange avec des gens sur Internet, mais cela me paraissait tout à fait naturel. J'avais bel et bien trouvé ma tribu.

En 2005, j'ai lancé mon blogue (Parent Hacks) en me disant qu'il ne devait pas se limiter à un répertoire d'anecdotes. J'envisageais une plateforme d'échange d'idées et de conseils entre parents, espérant que nous serions assez nombreux à y mentionner les trucs que nous avions découverts et pourrions apprendre les uns des autres. L'idée de génie d'un parent viendrait en aide à un autre parent en période de crise.

J'ai donné des conseils pratiques concernant l'attirail de bébé, des trucs pour accélérer les corvées et améliorer la productivité, et j'ai invité d'autres parents à en faire autant.

La plupart de mes suggestions sur l'éducation des enfants n'avaient rien à voir avec les méthodes douces que j'avais lues dans les revues. Disons que les miennes étaient plus terre à terre.

En quelques mois, des parents des quatre coins du monde me courriellaient leurs conseils et leurs trucs. Ma boîte de réception débordait de bonnes idées pour remédier aux couches qui débordent, aux gobelets antifuite qui fuient, aux bébés difficiles et aux maisons en désordre. Un billet dans le blogue donnait lieu à une discussion dans les commentaires, ce qui entraînait d'autres billets et des échanges encore plus fructueux.

Une communauté intelligente et généreuse s'est formée autour de mon blogue, et je me suis retrouvée entourée de parents débrouillards et bienveillants qui ne craignaient pas d'admettre que, eh oui, la vie avec des enfants n'est pas si simple. J'avais encore plus de questions que de réponses, et je me sentais encore dépassée par moments, mais persuadée que je trouverais la solution en cours de route. Nous tous, ensemble.

C'est vous l'expert, même si vous en doutez parfois. Mes lectrices et mes lecteurs m'ont appris une chose que j'aurais bien aimé savoir dès le début : élever des enfants, **c'est une succession de choix éclairés.** Nous sommes rarement sûrs de nous. Comment pourrait-il en être autrement quand nos décisions prises au cas par cas reposent sur des données incomplètes et des variables mouvantes, ou sur un manque de sommeil ?

Comme ce livre me l'a montré, sans l'ombre d'un doute dans ce cas-ci, nous avons *tous* nos éclairs de génie. L'éducation des enfants éveille en nous des talents cachés de résolution de problèmes. Pas tous les jours ni dans toutes les circonstances où nous en aurions vraiment besoin, mais aussi sûr que le soleil se lève à l'est, nous avons tous et toutes nos moments de gloire.

Le hic toutefois, c'est que nos coups de génie sombrent dans les oubliettes avant la fin de la journée. C'est donc pour préserver et transmettre ces petits bijoux que j'ai créé un blogue et concocté ce livre. En découvrant les 134 astuces futées et illustrées, vous vous frapperez le front de dépit en vous disant *pourquoi n'y avais-je pas pensé!*

Ce livre propose des conseils sur une variété de sujets : les derniers mois de la grossesse et les premiers mois suivant la naissance, l'organisation de la maison, l'alimentation et l'habillement des enfants, leur santé, etc. Vous y trouverez aussi des idées qui simplifieront vos déplacements et vos sorties, des suggestions pour les jeux et l'apprentissage et, enfin, des conseils sur les vacances et les occasions spéciales. Et vous découvrirez, avec grand plaisir j'en suis sûre, de nouveaux usages pour des articles aussi banals que le panier à linge.

L'avantage avec le système débrouille, c'est qu'il y a plusieurs façons de remédier à un problème. Chaque famille est unique et les trucs des uns ne fonctionneront pas forcément pour d'autres.

Élever des enfants est l'aventure la plus échevelée que vous vivrez. N'est-il pas rassurant de savoir que nous, parents, sommes dans le même bateau et que nous ramons ensemble?

Vive les grands débrouillards!

Chapitre 1
La grossesse
et le post-partum

À l'arrivée du nouveau bébé, l'univers subit une mystérieuse transformation qu'on ne peut comprendre sans l'avoir vécue. Comment peut-on anticiper les besoins d'un petit être qu'on rencontre pour la première fois ?

Malgré tout ce que vous avez entendu, il n'y a pas grand-chose à faire avant la naissance de votre petit. Contentez-vous de prévoir les soins de base du bébé, d'écrire quelques mots de remerciement et de remplir le congélateur de repas simples (ou mieux encore, de laisser quelqu'un d'autre s'en charger), puis profitez de ce qui reste de votre vie sans enfant.

Un élastique pour cheveux pour agrandir la taille de votre jean de grossesse

Laissez tomber la ceinture d'ajustement de grossesse, puisqu'un élastique pour cheveux donne d'aussi bons résultats. Il suffit de passer l'élastique dans le trou de la boutonnière de votre pantalon, puis de le repasser dans sa propre loupe pour obtenir un nœud coulant. Boutonnez votre pantalon avec l'élastique.

Si la fermeture éclair ne tient pas, passez un second élastique dans la tirette de la fermeture, puis autour du bouton.

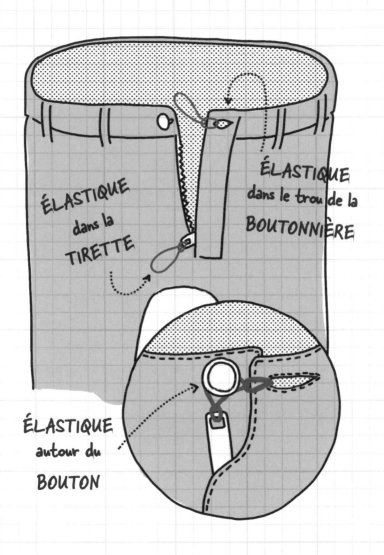

ÉLASTIQUE dans la TIRETTE

ÉLASTIQUE dans le trou de la BOUTONNIÈRE

ÉLASTIQUE autour du BOUTON

#2

Des camisoles pour hommes pour mieux vous couvrir le ventre

Vers la fin de ma grossesse, j'étais toujours en train de tirer mes tee-shirts de maternité vers le bas dans l'espoir futile de me couvrir le dessous du ventre.

Mon truc : un paquet de camisoles pour hommes. Plus longues que celles des femmes, ce sont des vêtements de base très simples et peu encombrants.

LES CAMISOLES sont ÉLASTIQUES

PLUS LONGUES

ET MOINS CHÈRES

Un **haut de bikini** quand le soutien-gorge devient trop serré

S'adapter aux transformations corporelles épiques de la grossesse peut coûter cher. Pensez seulement aux soutiens-gorge : les seins changent de taille et de forme plus d'une fois pendant la grossesse et le post-partum. Vous pourrez vous en tirer avec des rallonges pendant un certain temps. Les soutiens-gorge de sport, quant à eux, sont plus extensibles, mais aussi plus difficiles à enfiler.

Dans certains cas, un haut de bikini dont les bretelles s'attachent vous procurera la couverture, le soutien et le confort voulus pendant cette période.

Un HAUT DE BIKINI, c'est quand même plus amusant qu'un SOUTIEN-GORGE.

#4

Une photo des cadeaux en prévision du mot de remerciement

Réalité parentale : Au moment même où vos compétences organisationnelles sont les plus nécessaires, votre cerveau semble en panne.

Pour s'y retrouver dans les cadeaux et leurs donateurs : écrivez le nom de ce dernier en grosses lettres au verso de la carte et placez celle-ci à côté du cadeau déballé, puis prenez une photo.

Si vous prenez les photos au shower de bébé, demandez à une copine de vous prendre en photo avec le cadeau déballé et celui ou celle qui l'a donné. Cela vous fera un joli souvenir numérique ainsi qu'un rappel de la fête.

UNE PHOTO POUR UN RAPPEL VISUEL

CRÈME POUR MAMELONS

* INSTAGRAM FACULTATIF

10 articles inutiles

(et des solutions mieux avisées)

Quand on vous demande si vous êtes prête pour le bébé, on veut habituellement savoir si vous avez tout l'attirail voulu. Les gens présument que les bébés ont besoin d'une montagne de matériel spécialisé, mais dans les premiers temps, il suffit de quelques vêtements et articles de base pour les soins, un bon combiné siège d'auto et poussette, un porte-bébé, un tire-lait, des bouteilles et un endroit confortable et sécuritaire pour faire dormir bébé. Avec le temps, vous saurez intuitivement ce dont vous avez besoin, ce qu'il vous faut acheter et ce qui est préférable d'emprunter. D'ici là, voici les 10 articles indispensables.

1 La poubelle à couches. Vous allez manipuler d'innombrables couches souillées dans les premières années. Vous faut-il un bac spécial? Absolument pas. Si vous faites affaire avec un service de lavage de couches, il se peut que l'on vous fournisse la poubelle. Sinon, une poubelle ordinaire (de préférence à pédale) conviendra. Pour les couches jetables, débarrassez-vous-en au fur et à mesure. Jetez la matière solide dans la toilette, mettez la couche dans un sac plastique recyclé, fermez-le hermétiquement et hop, à la poubelle extérieure.

2 La table à langer. Au choix, placez une housse sur le dessus d'une commode ou étendez un tapis de sol imperméable sur le lit, le sèche-linge ou le plancher. Ou encore, transformez la fonction d'un autre meuble, comme un îlot de cuisine sur roulettes (avec freins) ou un petit bureau pour ordinateur.

3 Le réchaud à lingettes.

Vraiment pas nécessaire.

4 La literie de luxe.

Tout ce dont vous avez besoin est d'un drap contour et d'un protège-matelas imperméable. Cela dit, si l'idée de décorer le lit vous emballe, ne laissez pas le côté pratique vous empêcher de vivre une belle expérience.

5 Le détergent à lessive.

N'importe quel détergent doux et non parfumé fera l'affaire.

6 La toilette de bébé.

Un savon doux, un shampoing et une crème hydratante suffiront pour la toilette de toute la famille.

7 Le range-couches.

Gardez un petit panier de couches près de la table à langer et suspendez le range-couches vendu avec l'ensemble de literie dans le placard, puis utilisez-le pour les draps, les couvertures ou les animaux en peluche.

8 Le bain.

Baignez votre bébé dans l'évier. Quand il pourra s'asseoir, lavez-le dans une corbeille à linge en plastique que vous aurez déposée dans le bain régulier.

9 Vêtements d'allaitement.

Après quelques semaines, *tout* devient un vêtement d'allaitement. Les hauts en jersey et les cardigans boutonnés sont particulièrement recommandés.

10 Le tablier d'allaitement.

En relativement peu de temps, vous trouverez le moyen de donner discrètement le sein à votre poupon. Mais si vous vous sentez trop exposée, couvrez-vous l'épaule avec une petite couverture ou attachez deux coins de la couverture pour vous couvrir la poitrine.

Un sommeil plus confortable avec un **coussin de grossesse fait maison**

Cette boule de quille qui vous tient lieu de ventre vous empêche de dormir? Ça ira mieux si, couchée sur le côté, vous vous blottissez contre un coussin. Avant d'investir de l'argent dans un coussin de grossesse du commerce, pourquoi ne pas en confectionner un?

Mettez deux oreillers moelleux de taille normale dans une taie d'oreiller pour très grand lit. Arrangez les oreillers à l'intérieur jusqu'à ce que votre ventre trouve une position confortable.

TAIE D'OREILLER
POUR TRÈS GRAND LIT

DEUX OREILLERS
STANDARDS

Une couche pour adulte **au cas où vous perdiez vos eaux** avant le travail

La perte des eaux, totalement indolore faut-il préciser, semble beaucoup plus inquiétante qu'elle ne l'est. Mais si cela se produit, ça vous fera une belle jambe...

Ce n'est pas grave. Laissez une couche pour adulte dans votre sac ou portez-la au lieu de vos sous-vêtements réguliers si cela vous stresse vraiment. Les chances que cela se produise sont minces, mais le cas échéant, vous serez contente d'y avoir pensé.

Que faire avec les autres couches dans le paquet? Conservez-les pour le post-partum (voir la page 23).

EN CAS D'URGENCE...

... PRÊTE À TOUT !

Propriété de maman

9 articles que vous serez contente d'avoir mis dans votre valise de maternité

L'hôpital vous fournira la plupart des choses dont vous aurez besoin, sinon vos proches pourront vous apporter ce qui manque. Mais songez tout de même à apporter quelques affaires réconfortantes qui ne sont pas strictement nécessaires. Au beau milieu de l'euphorie ou du chaos hormonal, ces petits luxes ne seront pas de trop.

1 Un peignoir léger et bon marché.

Après les heures passées dans une jaquette d'hôpital, vous vous sentirez au septième ciel. Il se peut que vous la salissiez (vous savez, les FLUIDES), mais votre confort en vaut la peine.

2 Élastique, barrette ou bandeau pour les cheveux.

Si vous avez les cheveux longs, vous ne voudrez pas les avoir dans le visage. Mais si vous pensiez à les faire couper, ce serait peut-être le bon moment.

3 Des chaussettes ou des pantoufles dont vous pourrez vous débarrasser.
Duveteuses et confortables pour vous garder bien au chaud.

4 Articles de toilette et de maquillage.
Ce n'est pas tant une question de coquetterie que de confort physique et psychologique. L'odeur de votre shampoing favori apportera une touche de normalité au tourbillon du post-partum.

5 Shampoing sec.
Il se peut que vous deviez attendre un jour ou deux avant de vous doucher. Le shampoing sec sera comme un baume rafraîchissant.

6 Une serviette.
C'est bien connu que les serviettes d'hôpital sont minces et rêches. Après avoir enfin pris votre douche, vous voudrez une grande serviette. Apportez-en une que vous n'hésiterez pas à laisser derrière.

7 Un coussin d'allaitement.
L'allaitement exige un peu de pratique. Vous pouvez vous appuyer avec le bébé contre un oreiller d'hôpital, mais vous aimerez probablement mieux le confort et la forme d'un coussin d'allaitement.

8 Une couche pour adulte.
Comme si l'accouchement n'était pas assez spectaculaire, l'arrivée de bébé vous fera vivre l'expérience du flux post-partum, qui rivalise avec les menstruations les plus intenses que vous ayez jamais connues. Une joie indicible ! Bien des mères avant vous ont juré que la couche pour adulte était ce qu'il y avait de mieux.

9 Un pantalon élastique et un haut ample pour le retour à la maison.
N'importe quoi d'élastique, de lavable et de confortable conviendra.

Des **feuilles de chou pour les seins et les pieds enflés**

Il faut un certain temps pour que la production de lait se régularise et, chez certaines femmes, l'engorgement des seins (assez douloureux merci) complique les premières semaines. Un remède de grand-mère se trouve au rayon des fruits et légumes : des feuilles de chou.

Pour faire une compresse, retirez quelques feuilles du chou. Écrasez les veines avec un rouleau à pâte, puis posez les feuilles sur vos seins pendant une demi-heure environ, ou jusqu'à ce qu'elles se flétrissent. Répétez trois ou quatre fois par jour jusqu'à ce que le gonflement disparaisse (un jour ou deux).

DÉTACHER les FEUILLES de CHOU

PASSER le ROULEAU À PÂTE

APPLIQUER et RELAXER

Une serviette hygiénique congelée pour vous soulager après la naissance

Après un accouchement vaginal, il faut un certain temps pour que les tissus délicats endoloris par le passage du bébé guérissent. Préparez-vous une compresse bien fraîche en congelant une serviette hygiénique que vous aurez d'abord humectée (et non trempée).

VIVE LA GLACE!

Une veste de maternité pour porter votre bébé

Le moyen le plus simple de transporter ou de calmer un nouveau-né, c'est de l'enfiler dans un porte-bébé. Par temps frais, gardez-vous tous les deux bien au chaud en vous emmitouflant dans votre veste de maternité.

Bien blotti dans les bras de maman

Du dentifrice pour marquer la position du trou du clou d'un cadre

Voici un truc pour suspendre rapidement les cadres dans la chambre de bébé (ou partout ailleurs !) du premier coup. Appliquez un peu de dentifrice sur le crochet au dos du cadre, puis appuyez celui-ci contre le mur. Il y aura une petite marque de dentifrice là où il faut enfoncer le clou.

Si le cadre est muni d'un fil, tendez celui-ci et mettez un peu de dentifrice au centre, puis appuyez doucement le cadre contre le mur.

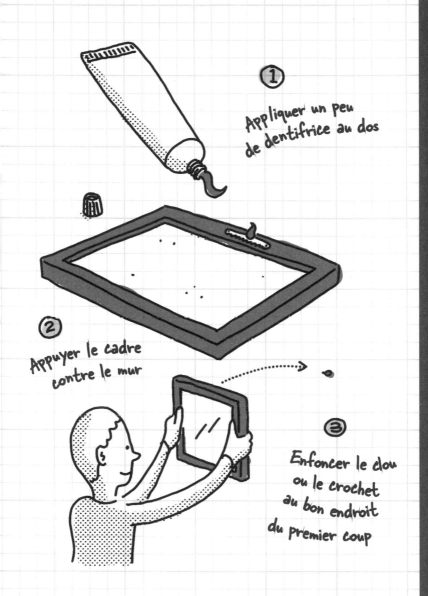

① Appliquer un peu de dentifrice au dos

② Appuyer le cadre contre le mur

③ Enfoncer le clou ou le crochet au bon endroit du premier coup

LES LINGETTES POUR BÉBÉ

NE SERVENT PAS QU'À ESSUYER LES PETITES FESSES.

Elles se prêtent à une foule d'usages de la vie de tous les jours.

ENLEVER LES TATOUAGES TEMPORAIRES

ESSUYER LES TABLES COLLANTES AU RESTO

FAIRE DISPARAÎTRE LES TACHES D'ANTISUDORIFIQUE

NETTOYER LES PATTES DU CHIEN

DÉPOUSSIÉRER LES PLANTES

NETTOYER LE TABLEAU DE BORD

LES UTILISER AVEC LE BALAI SWIFFER

SE RAFRAÎCHIR LE VISAGE ET SE DÉMAQUILLER

ÔTER LES MARQUES DE CRAYONS DE COULEUR SUR LE MUR

NETTOYER LES BANQUETTES DE LA VOITURE

5 versions du traditionnel livre de bébé

Malgré nos meilleures intentions de noter toutes les premières et autres occasions inoubliables, une fois le bébé arrivé, la vie prend le dessus.

De grâce, évitez de vous sentir coupable de ne pas tenir un carnet de bord. Il y a d'autres options. Voici quelques conseils pour prendre des notes pendant que le temps file. Plus tard, vous pourrez les consulter pour remplir le livre de bébé.

1 Un calendrier. Gardez un calendrier à proximité de la table à langer et notez-y quelques observations au jour le jour.

2 Des fiches. Gardez une boîte de fiches à portée de main. Quand vous vous sentirez inspirée, écrivez-y une phrase ou deux ainsi que la date.

3 Un carnet de notes. Inscrivez des notes dans un petit carnet que vous garderez avec vous. Plus tard, vous pourrez y coller des dessins et des photos.

4 Une boîte. Rangez-y des notes, des photos, des souvenirs, etc., et n'oubliez pas de tout dater.

5 Votre téléphone. Les photos, les vidéos et les notes dans votre téléphone seront automatiquement datées et vous pourrez plus tard télécharger ou imprimer (ou afficher) les grands moments. (N'oubliez pas de faire une copie de sauvegarde.)

Chapitre 2
L'organisation du temps et de l'espace

Votre bébé n'est plus une boursouflure amorphe. C'est un être qui respire, mange, évacue (et avec un peu de chance, qui dort aussi). Il a conquis votre territoire et votre cœur.

Pour de si petites personnes, les enfants laissent des traces partout dans la maison. Cela vous oblige à revoir sérieusement la gestion de vos tâches et de votre temps. Comme par hasard, vous avez moins de temps pour penser à votre emploi du temps et moins d'espace mental à consacrer à votre espace réel.

Ne visez pas la perfection domestique ni l'efficacité optimale. Ce que vous voulez, c'est un refuge accueillant et des moments pour l'apprécier.

Une liste des tâches classées en fonction du temps qu'elles requièrent

Pour donner un répit à votre cerveau assiégé, il n'y a rien de mieux qu'une liste de tâches écrite.

Indiquez la durée prévue de chacune. Cette fonction est intégrée aux applications électroniques de gestion de tâches, mais si vous préférez une liste manuscrite, ajoutez simplement une colonne pour la durée.

Quand vous avez quelques minutes de libres, consultez la liste pour voir les tâches que vous pouvez raisonnablement accomplir.

#12

Les cordons d'alimentation rangés dans des tubes de papier de toilette

Avec l'arrivée des enfants, votre collection de cordons déjà bordélique risque de devenir incontrôlable. Plutôt que de les jeter pêle-mêle dans un tiroir, roulez chaque cordon et placez-le dans un tube de papier de toilette que vous aurez pris soin d'étiqueter.

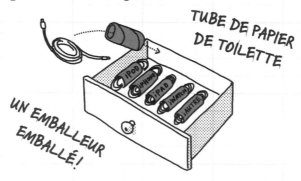

TUBE DE PAPIER DE TOILETTE

iPOD
iPHONE
iPAD
iWATCH
AUTRE

UN EMBALLEUR EMBALLÉ!

Une bibliothèque transformée en penderie

Vous manquez d'espace de rangement ? Pour transformer une bibliothèque ajustable en penderie, retirez une étagère et installez une tringle à ressort à l'intérieur.

TRINGLE

SUSPENDRE LES VÊTEMENTS

ÔTER LES ÉTAGÈRES

19 projets de nettoyage et d'organisation qui prennent 10 minutes max

De longues plages de temps ininterrompu sont chose du passé. La capacité d'expédier les petites tâches et de décomposer les plus longues en tranches de 10 minutes est l'une des meilleures compétences à acquérir en tant que nouveau parent. Vous viendrez progressivement à bout des tâches fastidieuses.

Réglez une minuterie ou essayez de voir ce que vous pouvez accomplir pendant que votre lunch réchauffe au micro-ondes – vous serez étonné! Voici quelques suggestions qui vous mettront sur la bonne piste:

1 **Ouvrez** le courrier, notez la date de paiement sur les comptes, placez-les dans une chemise et recyclez les enveloppes.

2 **Ramassez** les vieux journaux, dépliants et magazines et mettez-les au recyclage.

3 **Triez** et repliez tous les vêtements d'un seul tiroir de votre commode.

4 **Nettoyez** les miettes et autres débris du tiroir à ustensiles.

5 **Videz** toutes les poubelles de la maison.

6 **Balayez** et rangez l'entrée de la maison.

7 **Essuyez** le lavabo, le comptoir et la toilette dans la salle de bain.

8 **Ouvrez** votre classeur, sortez une chemise et organisez-en le contenu, puis déchiquetez les papiers périmés et rangez la chemise.

9 **Recyclez** les contenants de plastique jetables et dépareillés qui encombrent les armoires de cuisine.

10 **Rangez** une seule étagère de la bibliothèque.

11 **Débarrassez** ou nettoyez la table à café.

12 **Mettez de l'ordre** dans le coffre et l'intérieur de la voiture et passez un linge sur le tableau de bord.

13 **Retouchez** et organisez vos photos (imprimées ou numériques) pendant une dizaine de minutes.

14 **Triez** vos courriels.

15 **Humectez** un essuie-tout et passez-le à l'intérieur du micro-ondes.

16 **Organisez** l'armoire sous le lavabo de la salle de bain ou l'évier de cuisine.

17 **Videz** le sac à couches ou le sac à dos.

18 **Faites** le lit. (En prime : des draps frais du jour !)

19 **Nettoyez** les compartiments à légumes du frigo.

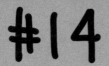

Des cartes d'anniversaire prêtes à poster

Ma mère et ma tante ont la délicate attention de poster à temps les cartes d'anniversaire de naissance à toute la famille. Hélas, cette prévenance ne s'est pas transmise à la génération suivante et des années durant je m'en suis voulu pour le retard systématique des souhaits d'anniversaire. Mais j'ai mis un terme à cette culpabilité grâce au système suivant.

Achetez quatre ou cinq cartes à la fois. Quand vous aurez un moment, écrivez les cartes aux destinataires. Signez, cachetez et timbrez les cartes, puis rangez-les. Programmez une alerte pour vous rappeler de poster la carte quelques jours avant l'anniversaire du destinataire.

①
ACHETER
un lot
de cartes
~~~~~

②
EN ÉCRIRE
plusieurs
à la fois
~~~~~

③
NE SURTOUT
pas oublier
~~~~~

ENVOYER
LA CARTE
à PAPA
OK

LES PETITES CASES D'UN

RANGE-CHAUSSURES MURAL

SONT IDÉALES POUR ENTREPOSER DE PETITS ARTICLES.

REMPLISSEZ LES POCHETTES
DU BAS AVEC DES ARTICLES
SÉCURITAIRES POUR LES ENFANTS.

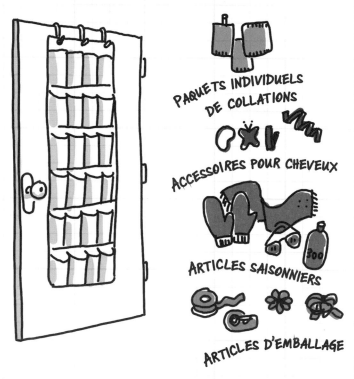

PAQUETS INDIVIDUELS
DE COLLATIONS

ACCESSOIRES POUR CHEVEUX

ARTICLES SAISONNIERS

ARTICLES D'EMBALLAGE

GADGETS ET CHARGEURS
ÉLECTRONIQUES

JEUX DE CARTES

ARTICLES DE
LESSIVE

OUTILS DE
RÉPARATION

COLLECTIONS DE
PETITS JOUETS

CHAUSSETTES
ET COLLANTS

ACCESSOIRES
POUR CHEVEUX

TIMBRES, ENVELOPPES, STYLOS

BIJOUX ET
ACCESSOIRES

FOURNITURES
POUR BÉBÉ

BOUTEILLES D'EAU

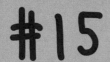

#15

Une raclette et une paire de gants en plastique pour ramasser les poils de votre animal

Rien n'attire les poils comme les vêtements d'un bébé qui rampe à quatre pattes ou les mains collantes d'un jeune enfant. Passez quelques coups de raclette en caoutchouc sur le tapis et les tissus d'ameublement. Les poils formeront un tas facile à ramasser ou à aspirer.

Pour les endroits inaccessibles, enfilez une paire de gants en plastique pour frotter et ramasser les poils restants.

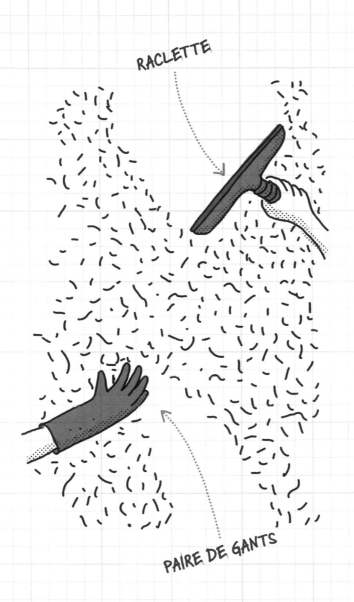

RACLETTE

PAIRE DE GANTS

8 réponses à la question « Comment puis-je aider ? »

Vos proches veulent savoir ce qu'ils peuvent faire pour vous donner un coup de main, mais il se peut que vous soyez trop épuisée ou trop embrouillée par vos hormones pour trouver une réponse.

La prochaine fois qu'on vous posera la question, montrez cette page-ci.

1 Apporter un repas.
Les meilleurs repas se présentent dans un seul plat ou récipient, se congèlent et font de bons restes. Cela dit, *tout* plat préparé par quelqu'un d'autre est le meilleur repas, surtout si vous pouvez le manger d'une seule main. *Conseil :* si votre amie vous apporte un plat dans un contenant que vous devez lui retourner, étiquetez-le tout de suite (avec du ruban pour peinture ou un marqueur), sinon transférez-le dans votre propre contenant pour qu'elle puisse rapporter le sien.

2 Faire les courses.
Gardez votre liste d'épicerie sur un tableau blanc dans la cuisine ou en une version électronique que vous pouvez partager. Demandez à vos amis de vous envoyer un texto du magasin et envoyez-

leur votre liste ou une photo de votre tableau blanc. Et n'oubliez pas ceci : on ne peut pas vivre uniquement de macaroni au fromage. Dites à vos amis de vous apporter des fruits séchés, des noix ainsi que des fruits et légumes lavés et parés pour les salades et les collations.

3 Faire la vaisselle.

Aussi bizarre que ça puisse paraître de demander à vos proches de faire du ménage, faire la vaisselle est en revanche une tâche à la portée de tous et assez circonscrite dans le temps pour être déléguée. Pensez au plaisir que vous aurez en entrant dans une cuisine bien propre. Dites-vous bien que vos amis *tiennent à vous aider*.

4 Faire la lessive.

Ce qu'il y a de merveilleux avec la lessive (dans ce cas-ci), c'est qu'il y en a toujours à faire. Vos amis peuvent mettre une brassée dans la laveuse ou la sécheuse, plier les vêtements propres ou changer et laver les serviettes.

5 Adresser et timbrer les enveloppes.

Les faire-part de naissance et les mots de remerciement ne se posteront pas par magie. Laissez vos amis se charger de les timbrer, de les cacheter et de les adresser.

6 Sortir le chien.

Ou flatter le chat. Les animaux de compagnie seront nécessairement déboussolés et sans doute agités par l'arrivée d'un nouvel occupant. Vos invités qui aiment les animaux se feront un plaisir de leur donner toute l'attention voulue.

7 Amener la fratrie se promener.

Les enfants plus vieux adoreront les traitements spéciaux «juste pour les grands».

8 S'occuper du bébé.

Demandez une heure pour faire une sieste. Ou 15 minutes pour prendre une douche, ou même un petit 5 minutes de répit.

#16

Une tringle à rideaux dans la douche qui crée de l'espace de rangement et de séchage

Si les bords de la baignoire débordent de jouets, de shampoings et de débarbouillettes détrempées, installez une tringle avec ressort au-dessus de la baignoire, assez haut pour qu'on ne puisse pas l'agripper ni s'y frapper la tête. Servez-vous-en pour sécher les maillots de bain et les sous-vêtements et suspendez-y des paniers en plastique légers avec des crochets à rideau de douche pour ranger les jouets de bain.

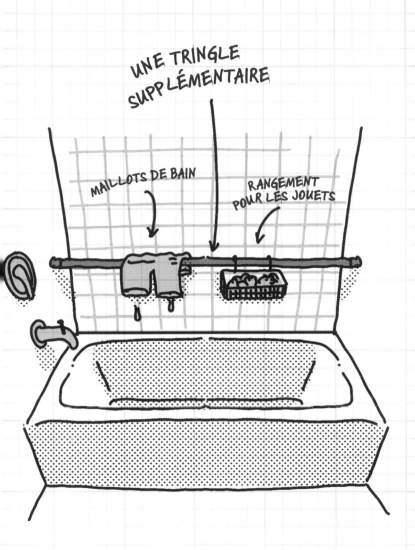

UNE TRINGLE SUPPLÉMENTAIRE

MAILLOTS DE BAIN

RANGEMENT POUR LES JOUETS

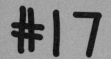
#17

Une joujouthèque pour empêcher les jouets d'envahir la maison

Avec une joujouthèque, vous aurez des jouets rangés et des activités de jeu plus variées. Et les grands enfants pourront faire leur propre ménage.

Classez les jouets par catégorie (blocs, voitures, poupées, etc.) et attribuez à chacune son propre bac. (Facilitez-vous la vie en prenant des bacs en plastique transparent.)

Quand viendra le temps de s'amuser, *empruntez* des jouets de la joujouthèque et mettez-les dans un petit panier. Quand vous voudrez essayer un nouveau jeu, retournez le précédent.

JOUJOUTHÈQUE

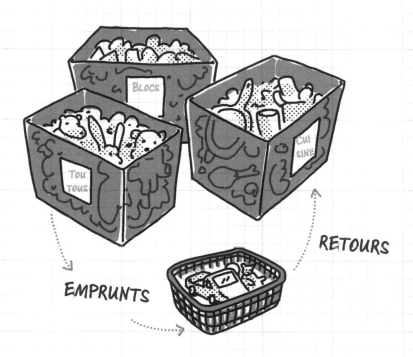

RETOURS

EMPRUNTS

LE RUBAN ADHÉSIF POUR PEINTURE

AURAIT PU NAÎTRE DU CROISEMENT ENTRE LE RUBAN DE MASQUAGE (MASKING TAPE) ET LA NOTE AUTOCOLLANTE (POST-IT) IL EST TRÈS VISIBLE, FACILE À COUPER, IL TIENT BIEN ET NE LAISSE AUCUN RÉSIDU.

ÉTIQUETTES POUR CÂBLES

ÉTIQUETTES POUR RESTES

ÉTIQUETTES POUR VÊTEMENTS ET ARTICLES

POUR SCELLE LES COLLAT

POUR SUSPENDRE LES DÉCORATIONS

OCCUPER LES ENFANTS EN AVION
(plus amusant que ça en a l'air)

DÉLIMITER LA ZONE INTERDITE AUTOUR DU BARBECUE

SÉCURISER UNE CHAMBRE D'HÔTEL

Prise électrique

Tiroir

RAFISTOLER UNE LANGUETTE DE COUCHE DÉCHIRÉE

JEUX D'INTÉRIEUR AU SOL

Poutres d'équilibre

Labyrinthes

Piste de course

Jeu de poches

Marelle

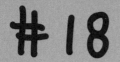

Ranger le matériel à colorier dans un égouttoir à vaisselle

En rangeant les livres à colorier dans les fentes d'un égouttoir en plastique et les crayons et marqueurs dans le bac à ustensiles, vous aurez un nécessaire à coloriage centralisé, ordonné et facile à transporter.

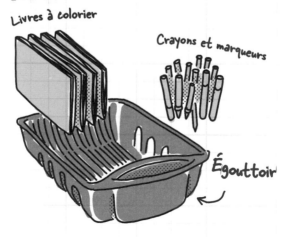

Livres à colorier

Crayons et marqueurs

Égouttoir

Des livres dans une boîte à chaussures ou un classeur mural

Rassemblez les livres cartonnés dans des boîtes à chaussures en plastique ou fixez un classeur en plastique au mur pour créer de l'espace de rangement et y mettre quelques livres.

LE DÉSORDRE

LA SOLUTION

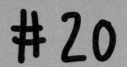

Un pense-bête pour planifier des activités amusantes

On a rarement assez de temps pour faire toutes les choses qui attirent notre attention. Au lieu de vous inquiéter de tout ce que vous ratez, notez les activités que vous tenez à planifier.

Par exemple, vous passez devant un nouveau parc : vous voulez vous y arrêter, mais le petit pique une crise. Inscrivez dans votre agenda une visite au cours de la semaine suivante pour vous rappeler de l'organiser. S'il s'agit d'une activité saisonnière, notez-la pour l'année prochaine.

Ce truc fonctionne pour les recettes à essayer et les événements à voir ; griffonner une note pour vous rappeler d'acheter d'avance les ingrédients ou les billets.

7 tâches qu'un bambin peut accomplir dès maintenant

Vous avez bien lu… Le mot *tâches* et *bambin* dans la même phrase. Les petits peuvent faire des choses. Pas très bien, mais là n'est pas la question. Les tâches sont le meilleur moyen de favoriser le désir inné du petit de vouloir grandir. En donnant aux enfants un vrai travail, vous leur montrez que tous les membres de la famille peuvent apporter leur contribution. Laissez votre bambin faire les tâches suivantes :

1 **Essuyer** les surfaces avec un linge humide.

2 **Mettre** les vêtements sales dans le panier.

3 **Ranger** les jouets et les livres dans un bac.

4 **Suspendre** une veste ou un sac à dos sur un crochet à sa hauteur.

5 **Mettre** tous les souliers dans un panier ou un bac.

6 **Apporter** la vaisselle sale dans la cuisine.

7 **Arroser** les plantes extérieures avec un petit arrosoir.

Chapitre 3
Pipi, caca et petit pot

Ce qui entre doit sortir. Et ça n'arrête pas de sortir.

Essuyer les fesses de votre poupon, tordre ses couches et l'entraîner à la propreté est une longue histoire riche en péripéties, et c'est votre histoire. En acceptant de jouer ce rôle, vous pourrez (presque) y trouver du plaisir – pensez à toutes les anecdotes scatologiques que vous raconterez à vos amis pendant des années.

Voici quelques trucs ingénieux pour mieux gérer ce que vous préfériez ne pas avoir à gérer.

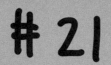

Plusieurs housses
sur la table à langer

Comme les housses se saliront inévitablement, superposez-en quelques-unes. Vous n'aurez qu'à ôter la housse souillée du dessus pour en avoir une propre.

HOUSSES

Un truc pour resserrer des couches jetables trop grandes

Personne ne vous a dit que les bébés ne grandissent pas en fonction de la taille des couches. Pour resserrer une couche trop grande à la taille et aux cuisses, orientez les languettes vers le bas.

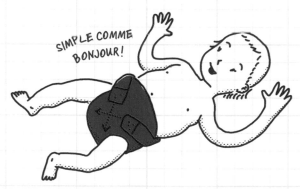

SIMPLE COMME BONJOUR!

Des diachylons pour **réparer les languettes brisées**

Les languettes de fixation des couches jetables sont relativement stables, mais il suffit d'un petit pépin pour gâcher la journée. Un diachylon est suffisamment collant et résistant pour tenir jusqu'à ce que vous arriviez à la maison. Autre possibilité : le ruban adhésif pour peinture (voir les pages 52 et 53).

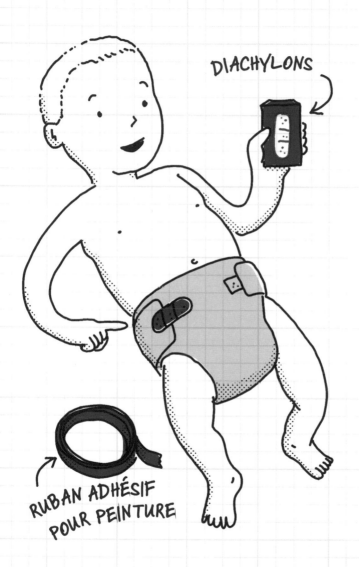

DIACHYLONS

RUBAN ADHÉSIF
POUR PEINTURE

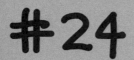

Une serviette hygiénique maxi pour **rallonger une couche jetable**

Il y aura de longues nuits mouillées où la couche jetable aura besoin d'un système de secours. Tôt ou tard, votre chéri détrempera complètement un dispositif d'absorption d'humidité à la fine pointe de la technologie.

Le moment venu, sortez les gros canons : la *protection féminine*. Avec une serviette maxi extralongue en renfort, la couche devrait passer la nuit.

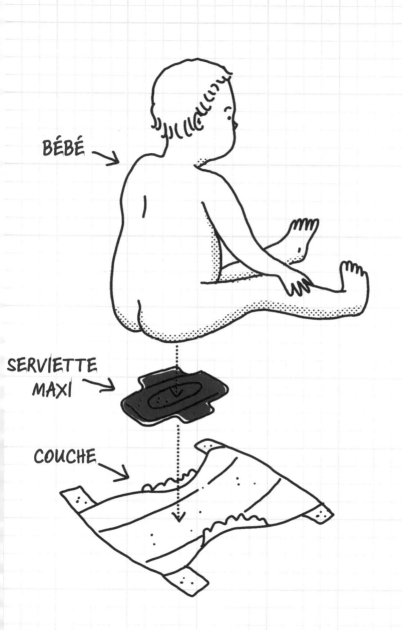

BÉBÉ

SERVIETTE MAXI

COUCHE

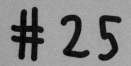

Après une fuite, enlevez la grenouillère du haut vers le bas

Une fuite spectaculaire requiert le nettoyage complet de votre rejeton. Ah, vous le saviez déjà !

Si cela se produit pendant que votre enfant est dans sa grenouillère, étirez-en le col, passez-la par-dessus les épaules, puis les pieds – ce sera plus agréable pour tout le monde.

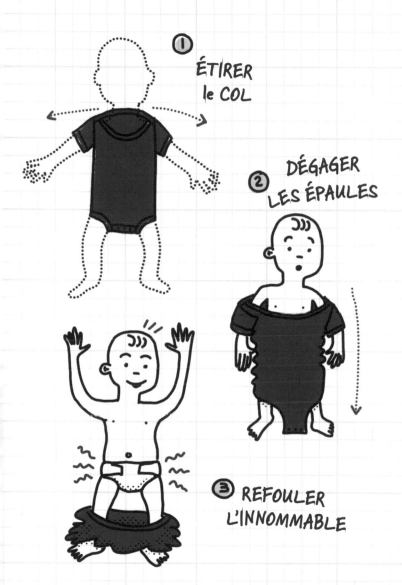

① ÉTIRER le COL

② DÉGAGER LES ÉPAULES

③ REFOULER L'INNOMMABLE

Un rouleau antipeluches pour les débris au fond du sac à couches

Pendant deux ans environ, vous userez votre sac à couches jusqu'à la corde. Bien propre au départ, il se transformera inévitablement en un fourre-tout qui ramasse les miettes des collations, les biberons oubliés, les vêtements sales, les jouets perdus, etc.

Entre les lavages, passez le rouleau antipeluches à l'intérieur du sac pour attraper les miettes, les peluches et autres objets hétéroclites.

Le ROULEAU au BOULOT

Une **bouteille d'irrigation périnéale recyclée** en **pulvérisateur pour couches lavables**

Plutôt que d'installer un pulvérisateur pour couches, utilisez une bouteille périnéale (ou n'importe quelle bouteille en plastique souple) pour rincer les couches avant de les laver.

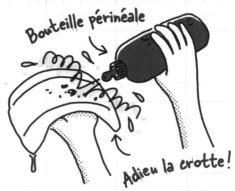

Bouteille périnéale

Adieu la crotte !

Durant les séjours sur le petit pot, clippez les pans de la grenouillère sur l'épaule

En période d'apprentissage de la propreté, si votre enfant porte un vêtement qui clippe à l'entrejambe, relevez-en les pans et clippez-les sur l'épaule.

RELEVER LES PANS

VUE DE CÔTÉ

LES CLIPPER SUR L'ÉPAULE

VUE DE FACE

11 articles à conserver dans votre sac à couches

Comme vous l'avez sans doute découvert, pour être réellement utile, le sac à couches doit contenir bien plus que le nécessaire pour le changement de couche. Considérez ce sac comme une trousse de survie. Et s'il est bien garni, il vous évitera bien des soucis.

En plus des trucs de base, en voici d'autres auxquels vous n'avez peut-être pas pensé.

1 Crochet en plastique pour dessus de porte. Posez-le sur le dos d'une chaise ou sur la table à langer du restaurant pour éviter de déposer le sac sur les planchers à la propreté douteuse.

2 Distributeur et sacs de ramassage pour excréments de chiens. Un moyen pratique pour contenir les dégâts malodorants. Clippez le distributeur sur le sac à couches.

3 Press'n Seal®, de Glad®. Je recommande rarement des produits par leur nom de marque, mais celui-ci est unique. Cette pellicule adhère efficacement à de nombreuses surfaces. Donc, si vous manquez de sacs pour sceller des couches et des vêtements sales, cette pellicule vous servira de poche étanche. Vous pouvez également l'utiliser comme une housse, une bavette ou une surface propre. (Voir aussi les pages 140 et 141.)

4 Ruban adhésif pour peinture.

Très utile pour sécuriser des tiroirs coulissants, le couvert des sièges de toilette ou les prises électriques. (Voir aussi les pages 52 et 53.)

5 Couche de piscine.

Fontaines extérieures, arrosoirs, pataugeuses… Quand une occasion de baignade se présentera, vous aurez une couche imperméable sous la main.

6 Un chemisier de rechange pour VOUS.

Après une fuite spectaculaire, il se peut que vous ne soyez pas tout à fait propre.

7 Bandeau ou élastique pour cheveux.

Quand vous n'aurez qu'un plancher pour étendre bébé et lui changer la couche, ça vous évitera d'avoir les cheveux dans le visage.

8 Agent prétraitant pour taches.

Il en existe plusieurs marques, sous forme de crayon ou de bâton. Gardez-en un dans le sac à couches pour prétraiter les taches au fur et à mesure.

9 Bouteille d'eau et collation pour maman.

Vous avez probablement tout ce qu'il faut pour votre enfant, mais vous devez penser à vous aussi…

10 Notes autocollantes.

Il suffit d'en coller une sur le capteur de la chasse d'eau automatique des toilettes publiques pour le désactiver temporairement.

11 Argent comptant.

Utile dans toutes sortes de situations – petits achats, parcomètres, braderies, etc. – qui exigent des espèces.

#29

Une spatule pour le décrottage des couches

La plupart des jeunes parents ont lu dans des ouvrages qu'il fallait jeter les matières fécales dans la toilette avant d'envoyer les couches souillées au lave-linge ou à la poubelle. C'est d'une simplicité trompeuse, car le caca du bébé ne tombe pas naturellement de la couche. Il faut habituellement insister un peu plus.

Utilisez une spatule en plastique bon marché pour gratter les couches. Étiquetez-la clairement CACA et suspendez-la à côté de la toilette avec un crochet autoadhésif amovible. Une fois l'opération terminée, tirez la chasse d'eau, rincez la spatule dans l'eau claire (au besoin, nettoyez-la avec une lingette jetable dans la toilette), et tirez encore la chasse d'eau.

LES INCONTOURNABLES DE LA TOILETTE

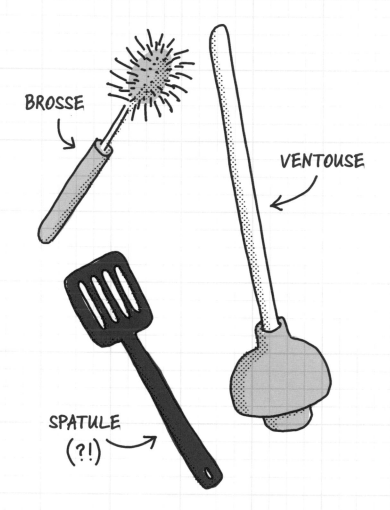

BROSSE

VENTOUSE

SPATULE
(?!)

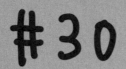

Une protection inédite contre les fuites en voiture : des tapis de propreté pour chiots

Les fuites ne sont jamais agréables, mais si elles se produisent pendant que votre petit est attaché dans son siège d'auto, vous franchirez une nouvelle étape du *pouah*…

Pour contenir les dégâts, couvrez le siège d'auto avec un tapis de propreté pour chiots – une housse jetable mince et imperméable – avant d'attacher votre enfant. Ces housses coûtent moins cher que les housses jetables de table à langer et sont aussi efficaces.

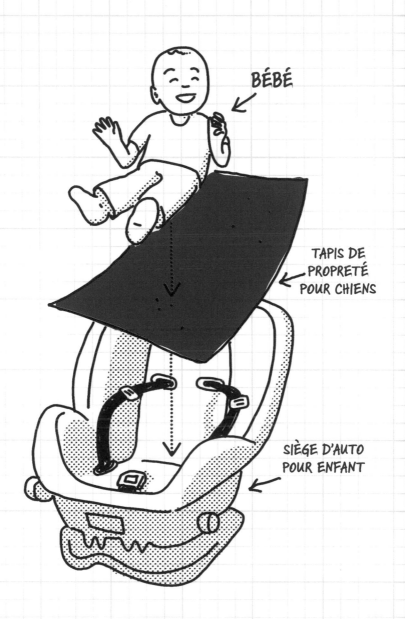

BÉBÉ

TAPIS DE PROPRETÉ POUR CHIENS

SIÈGE D'AUTO POUR ENFANT

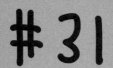

Un élastique pour **penser à réapprovisionner** le sac à couches avec un vêtement de rechange

Le jour où vous oublierez de mettre des vêtements de rechange dans le sac à couches sera le jour où votre petit régurgitera beaucoup! La prochaine fois que vous réapprovisionnerez le sac, roulez la tenue de rechange avec un élastique et rangez-la.

Lorsque vous l'utiliserez, passez-vous l'élastique autour du poignet pour vous faire penser à réapprovisionner le sac une fois de retour à la maison.

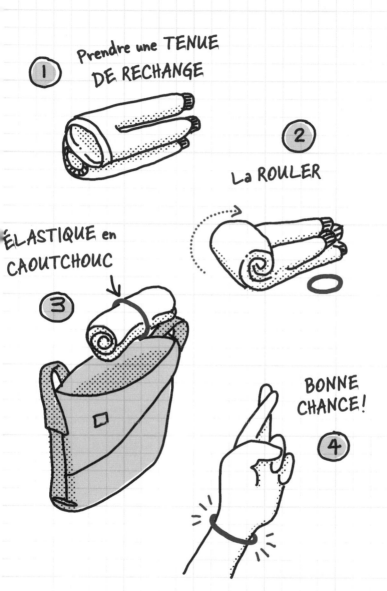

① Prendre une TENUE DE RECHANGE

② La ROULER

③ ÉLASTIQUE en CAOUTCHOUC

④ BONNE CHANCE!

#32

Un protège-dessous qui transforme une culotte régulière en **culotte d'apprentissage**

Les culottes d'apprentissage prolongent parfois l'entraînement à la propreté parce qu'elles s'apparentent aux couches. Celles en coton sont plus efficaces, mais vu la quantité qu'il faut avoir, elles reviennent assez chères.

Vous réussirez peut-être à sauter l'étape de la culotte d'apprentissage en fixant un protège-dessous dans des sous-vêtements réguliers. Les protège-dessous ne sont pas étanches, mais ils préservent les vêtements de petits accidents, et votre enfant sentira l'humidité, ce qui accélère l'apprentissage.

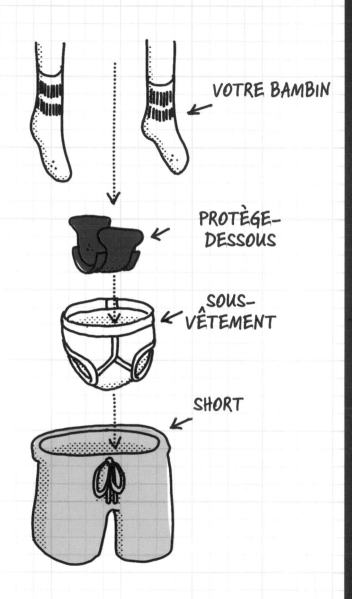

VOTRE BAMBIN

PROTÈGE-
DESSOUS

SOUS-
VÊTEMENT

SHORT

CONSERVEZ DANS LE GARDE-MANGER UNE RÉSERVE DE SACS À FERMETURE À GLISSIÈRE MOYENS ET GRANDS.

CES SACS MULTIFONCTIONNELS NE SERVENT PAS QU'À SCELLER DES LIQUIDES, BIEN AU CONTRAIRE.

ENTONNOIR

PROTÈGE-TABLETTE

POCHE à DOUILLE

ORGANISATEUR
de tenues et de
chaussures en voyage

PEINTURE
avec les doigts
sans gâchis

NETTOYAGE
des pages à colorier

Marqueur
à essuyage à sec

POCHETTE
de plage
à l'épreuve
du sable
et
de l'eau

BLOC RÉFRIGÉRANT
instantané

pour la glacière ou les blessures

BOTTES d'hiver
de fortune

PÉTRIR sans dégât

**SAC DE
VOMISSEMENT**
pour la voiture

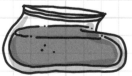

PETIT POT DE VOYAGE
(quand on n'a pas le choix...)

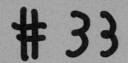

33

Un petit pot recouvert de papier de toilette simplifie le nettoyage

La plupart des pots ont un bol amovible qui permet de jeter le contenu dans la toilette. Pour le pipi, pas de problème, mais pour la grosse commission, plus collante, ce n'est pas si simple.

Vous vous faciliterez la tâche en recouvrant le bol de papier de toilette. Une fois la besogne de votre enfant terminée, versez le tout dans la toilette, nettoyez le bol avec une lingette jetable, puis tirez la chasse d'eau.

PAPIER DE TOILETTE

BOL DU POT

SIÈGE DU POT

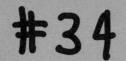

Aplatir le rouleau de papier hygiénique pour en **ralentir** la rotation

L'apprentissage de la propreté comporte plusieurs étapes. L'enfant doit apprendre à manipuler le papier de toilette, c'est-à-dire la quantité de papier à détacher du rouleau, la manière de le chiffonner, puis la technique d'essuyage.

Les bambins n'ont pas la dextérité voulue pour contrôler la rotation du rouleau, si bien qu'une grande quantité de papier se retrouve en tas sur le plancher.

Avant de placer le rouleau dans le porte-rouleau, écrasez-le. Le déroulement inégal du rouleau en ralentira la rotation.

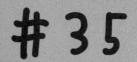

Un bon tuyau pour déjouer le capteur de la chasse d'eau automatique des toilettes publiques

Pour une raison ou une autre, les enfants nouvellement propres sont intimidés par la chasse d'eau automatique. C'est peut-être le bruit ou le tourbillon imprévisible qui disparaît sous leur derrière découvert.

Couvrez le capteur avec du papier de toilette (sinon une note autocollante ou un ruban pour peinture) pour éviter que la chasse d'eau se déclenche pendant que votre enfant se soulage. Une fois le petit essuyé et prêt à sortir de la cabine, retirez le papier et laissez la chasse d'eau faire son travail.

PAPIER DE TOILETTE

CAPTEUR →

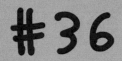
Une céréale en forme de «O» comme cible

Les petits garçons qui ont maîtrisé l'art de la toilette régulière doivent perfectionner la précision du jet. Donnez à votre jeune homme une cible à atteindre : un Cheerios (ou une autre céréale similaire) dans la cuvette.

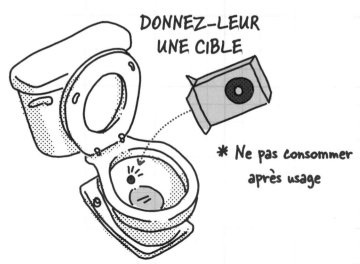

DONNEZ-LEUR UNE CIBLE

* Ne pas consommer après usage

Chapitre 4
Le sommeil

Chez les nouveaux parents, l'envie de sommeil est aussi forte que celle des chiens pour :

a. du bacon
b. du fromage
c. du fromage entouré de bacon
d. toutes ces réponses

Mais vous le saviez déjà, n'est-ce pas ? Vos heures de sommeil sont largement dictées par celles de votre enfant... Alors, tout ce qui l'aide à dormir vous sera salutaire.

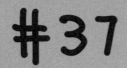

Des tétines additionnelles planquées dans les coins du lit

Si votre petit dort avec une tétine, il risque de se réveiller s'il la perd pendant la nuit – une situation frustrante qui vous fera maudire le ciel. Épargnez-vous une quête à la tétine en pleine nuit en en plaçant quelques-unes dans les coins du lit à l'heure du coucher. Au besoin, vous n'aurez qu'à tendre le bras pour en prendre une autre, la lui mettre dans la bouche et retourner vous coucher. Votre petit apprendra vite à se rouler sur le ventre pour attraper lui-même une tétine. Pour certains parents, cela marque la première nuit de sommeil complète.

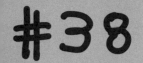

#38

Un élastique qui étouffe le bruit de la porte

Sur la pointe des pieds, vous sortez de la chambre de la petite, fermez très doucement la porte et CLAC... le loquet se referme, le bébé ouvre les yeux et la sieste se termine abruptement.

Pour éviter ce douloureux scénario, passez un gros élastique autour d'une poignée et croisez-le sur le loquet, puis passez-le autour de l'autre poignée de manière à enfoncer le loquet sous le X.

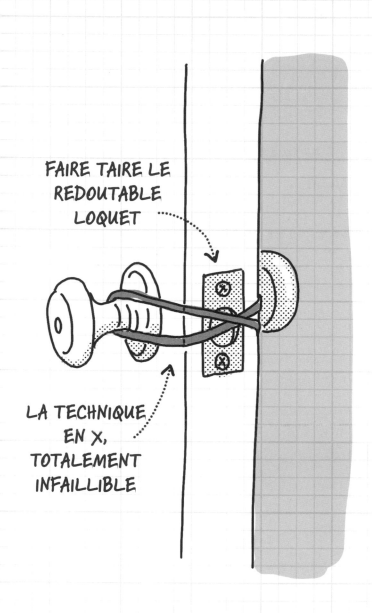

FAIRE TAIRE LE REDOUTABLE LOQUET

LA TECHNIQUE EN X, TOTALEMENT INFAILLIBLE

#39

Le ballon d'exercice, un baume pour les bébés exigeants

Votre équipement de conditionnement physique vous nargue? Vous reprendrez sous peu vos séances d'entraînement, mais d'ici là, n'hésitez pas à blottir votre bébé contre vous tout en bondissant doucement sur un ballon d'exercice ou un minitrampoline.

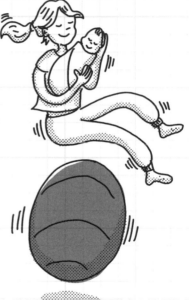

* NE PAS ESSAYER À LA MAISON

Des chaussettes sur les pattes du pyjama pour les garder en place

Si votre petit donne des coups qui lui font sortir les pieds des pattes de son pyjama, mettez-lui des chaussettes par-dessus son pyjama. La friction entre les deux gardera les chaussettes en place.

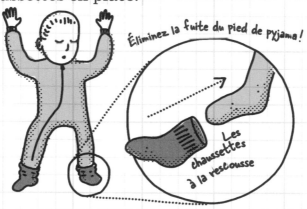

Éliminez la fuite du pied de pyjama !

Les chaussettes à la rescousse

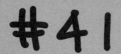

#41

Une taie d'oreiller comme drap pour le lit de bébé

Si votre nouveau-né passe les premiers mois de sa vie à dormir dans un lit d'enfant, ne vous donnez pas la peine d'acheter de petits draps. Glissez plutôt le matelas dans une taie d'oreiller de taille régulière et tendez-la en repliant fermement les coins sous le matelas.

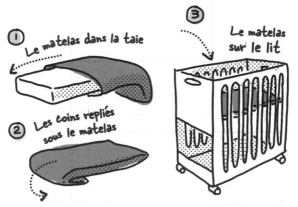

① Le matelas dans la taie

② Les coins repliés sous le matelas

③ Le matelas sur le lit

9 bonnes idées pour ranger les animaux en peluche

C'est à croire que les animaux en peluche se multiplient aussi vite que les lapins. On trouve dans le commerce plusieurs produits conçus pour résoudre le problème du rangement de la faune en peluche, mais voici d'autres possibilités multifonctionnelles :

1 Bac de rangement sous le lit. Pour les enfants qui changent fréquemment de «partenaires nocturnes».

2 Range-chaussures suspendu. Les pochettes peuvent contenir de petits animaux et de petites poupées. (Voir aussi les pages 42 et 43.)

3 Un filet à provisions. Le filet est à la fois compact et transportable.

4 Range-chaussures circulaire. Un range-chaussures autonome qui sert de rangement et de vitrine.

5 Pouf vide. On peut y ranger beaucoup d'animaux en peluche.

6 Organisateur pour placard. Rangez quelques jouets derrière des portes closes pour réduire le fouillis visuel.

7 Range-couches. Suspendez-le dans le placard.

8 Sac à vêtements. Mettez-y quelques jouets et zippez le tout loin des regards.

9 Oreiller pour le plancher. Remplissez une taie d'oreiller de jouets souples et faites-en une aire de repos.

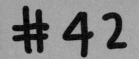

Des doudous de rechange et faites une rotation

Ah, le doudou ! Cette couverture ou ce jouet des plus chéris qui occupe un coin privilégié dans le cœur de votre enfant. Ce n'est pas à vous de décider quel sera l'heureux élu, mais chose certaine, il sera doté d'un pouvoir magique. Une fois arrêté le choix de votre enfant, achetez-en plusieurs exemplaires. Changez-les toutes les deux ou trois semaines pour qu'ils s'usent et s'adoucissent au même rythme.

Espérons que votre enfant ne perdra pas son grand ami, mais le cas échéant, vous en aurez d'autres sous la main.

DE MULTIPLES DOUDOUS

... PARTAGEZ L'AMOUR!

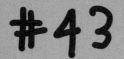

#43

Un changement rapide du lit de bébé en pleine nuit grâce à une protection imperméable

Vous apprécierez la beauté de ce truc des plus utiles après une fuite de couche ou une grippe intestinale qui se déclare à trois heures du matin.

Pour assembler la version «lasagne» du lit de bébé, couvrez le matelas d'un drap contour et d'un protège-matelas, et répétez. Quand le désastre se produit, vous n'avez qu'à retirer la première couche, et hop, la suivante est propre et prête à servir.

ASSEMBLAGE STYLE « LASAGNE »

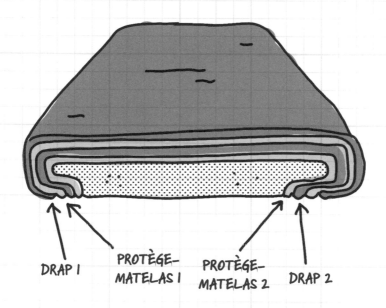

DRAP 1 — PROTÈGE-MATELAS 1 — PROTÈGE-MATELAS 2 — DRAP 2

QUAND LE DÉSASTRE SURVIENT, RESPIREZ PROFONDÉMENT ET RETIREZ LA COUCHE DU DESSUS.

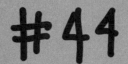

Un marchepied original pour aider votre enfant à se mettre au lit

La transition au grand lit est toute une étape pour les petits et les grands. Même si votre enfant est prêt à dormir dans le lit, il n'est peut-être pas assez grand pour y monter. Pour fabriquer un marchepied intégré, calez une plaque à biscuits entre le matelas et le sommier en laissant une dizaine de centimètres à l'extérieur du lit. Il pourra monter et descendre de son lit sans aide.

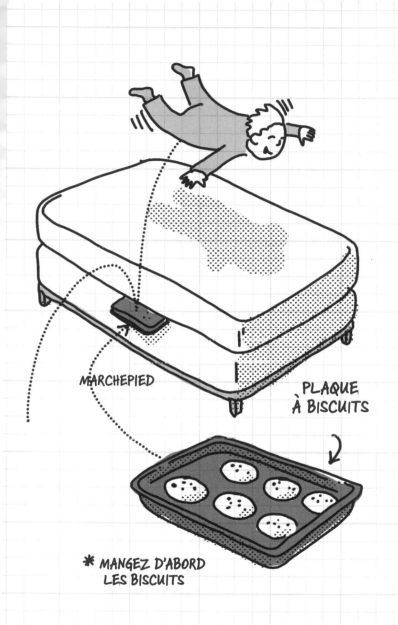

MARCHEPIED

PLAQUE
À BISCUITS

* MANGEZ D'ABORD
LES BISCUITS

Une nouille de piscine pour empêcher votre enfant de tomber en bas du lit

Si votre enfant bouge beaucoup la nuit, les premières nuits dans un grand lit sont stressantes… pour vous. Tombera-t-il, tombera-t-il pas ?

Placez sur le bord du lit une nouille de piscine (ou une serviette bien roulée) en l'insérant entre le matelas et le drap contour. Le rebord formera une barrière juste assez haute pour le garder au lit toute la nuit. (Pour d'autres usages de la nouille de piscine, voir les pages 180 et 181.)

VOICI LE PLAN :

DRAP
CONTOUR

NOUILLE DE
PISCINE

MATELAS

Bonne nuit, bons rêves.

Pas de puces,
pas de punaises !

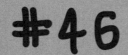

Un store étanche fabriqué à l'aide d'une nappe en vinyle ou d'un feutre noir

Si votre chérubin saute du lit dès qu'un rayon de soleil se montre, fabriquez votre propre store étanche. Découpez un morceau de feutre noir ou un bout de nappe en vinyle de la taille de la fenêtre, puis fixez-le directement sur la vitre à l'aide d'un ruban-cache. (Facile à enlever lorsque vous n'en aurez plus besoin.) Le papier aluminium peut également faire l'affaire mais, pour les fenêtres qui donnent sur la rue, ce n'est pas très joli. (Pour en savoir plus sur les usages des nappes en vinyle, voir les pages 210 et 211.)

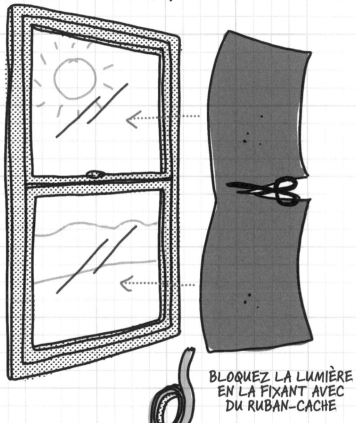

DÉCOUPEZ UNE NAPPE
EN VINYLE

BLOQUEZ LA LUMIÈRE
EN LA FIXANT AVEC
DU RUBAN-CACHE

7 jeux de faire à semblant qui se jouent en position étendue

Quand vous aurez besoin d'un répit, mais que votre petit ne sera pas du même avis, proposez-lui ces jeux qui offrent un temps d'arrêt aux parents.

1 Salon de massage. Couchez-vous sur le ventre et invitez votre enfant à faire le massothérapeute.

2 Salon de coiffure. Assoyez-vous au sol, les jambes croisées, pendant que votre enfant vous brosse les cheveux.

3 Artiste tatoueur. Laissez votre enfant vous faire des dessins sur les bras ou le dos (ou autre endroit facile à camoufler) avec un marqueur lavable.

4 Camping. Éteignez les lumières, déroulez quelques sacs de couchage, glissez-vous dedans et faites semblant que vous dormez ensemble dans la forêt.

5 Cocon de chenille. Couchez-vous par terre et laissez votre enfant vous enrouler dans une couverture. Après une minute, tortillez-vous puis émergez tranquillement comme un papillon.

6 Docteur. Étendez-vous sur la table d'examen (c'est-à-dire le sofa) pendant que le *médecin* prend votre température et d'autres signes vitaux, puis vous examine la bouche et les oreilles.

7 Spectacle laser. Éteignez les lumières, couchez-vous par terre et à l'aide d'un laser, dessinez des formes et créez des effets sur le plafond – de préférence la nuit.

Chapitre 5
Le bain et la toilette

Quand j'ai eu mon premier enfant, tout le monde s'extasiait sur «l'odeur du nouveau bébé», un pur délice disait-on. J'avoue n'avoir jamais compris pourquoi. Mon bébé avait surtout l'odeur du yogourt qui a traîné sur le comptoir.

Peu à peu, j'ai compris comment garder mon enfant (presque) propre et (plus ou moins) soigné, mais cela ne m'est pas venu naturellement.

Vous apprendrez à gérer assez rapidement la courbe d'apprentissage du bain. Que ce soit une toilette à la débarbouillette humide ou une immersion totale dans un bain savonneux, vous réussirez tôt ou tard à baigner bébé sans même y penser. Et vous aurez pour récompense un poupon qui embaume.

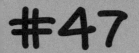

Des mitaines de bain pour bébé version chaussettes

Les bébés mouillés sont glissants. Pour avoir une prise plus solide, découpez des ouvertures pour les pouces dans une paire de chaussettes de coton. Enfilez les mitaines, pouces à l'extérieur, puis utilisez-les comme des gants de toilette.

Découpez un petit trou dans une vieille chaussette*

* Propre de préférence

VOILÀ ! LE TOUR EST JOUÉ.

7 contenants multifonctionnels pour ranger les jouets de bain

Quand votre bébé arrive à se tenir assis sans aide, l'heure du bain devient un véritable plaisir. Mais attention, les jouets qui lui procurent un divertissement simple et sans danger peuvent rapidement envahir la salle de bain. Pour en freiner l'étalement, mettez-les dans des contenants qui s'égouttent et qui seront encore utiles quand viendra l'étape de la douche.

1 Caisse de lait ou passoire en plastique

2 Boîte à ventouse

3 Égouttoir à vaisselle en plastique

4 Panier à mailles en plastique

5 Petit panier à linge en plastique

6 Panier à légumes suspendu

7 Sac à linge en maille (avec un crochet à ventouse)

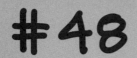

Un savon moussant maison **facile à rincer**

La prochaine fois que vous finirez une bouteille de savon à mains moussant, rincez-la bien et remplissez-la à parts égales de savon pour bébé et d'eau. Fermez la bouteille et agitez-la doucement pour bien mélanger. Votre mixture durera deux fois plus longtemps qu'une bouteille ordinaire de savon pour bébé, et le rinçage sera plus facile et amusant.

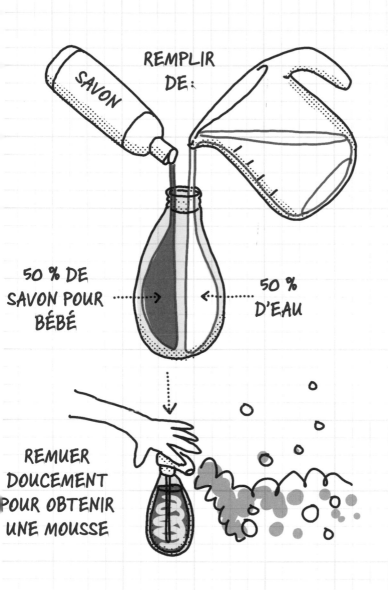

REMPLIR DE:

SAVON

50 % DE SAVON POUR BÉBÉ

50 % D'EAU

REMUER DOUCEMENT POUR OBTENIR UNE MOUSSE

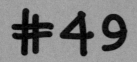

Un arrosoir pour rincer les cheveux de bébé

Dans le rayon des jouets, vous trouverez un nécessaire à jardinage pour enfants, dont de petits arrosoirs en plastique idéals pour la salle de bain également. Utilisez-les pour rincer délicatement les cheveux shampouinés de votre petit.

POUR L'ARROSAGE DE VOTRE FINE FLEUR

Une débarbouillette humide pour **lisser le duvet**

Pour plaquer les cheveux ébouriffés au sortir du lit, humidifiez une débarbouillette pour bébé, tordez-la bien et passez-la sur la tête de votre petit trésor.

ÇA COULE DE SOURCE !

QUAND VOTRE ENFANT PASSERA L'ÂGE DE

LA PETITE BAIGNOIRE,

RÉUTILISEZ-LA À D'AUTRES FINS.
VOICI QUELQUES SUGGESTIONS.

Piscine pour
LES POUPÉES

Bain extérieur
POUR LE CHIEN

BAC À GLAÇONS
pour les boissons

Fourre-tout
pour le JARDINAGE

Bac de trempage pour les vêtements tachés

Minibac à sable

Bac de bulles pour les amis

Table d'eau extérieure

Une débarbouillette sèche pour **protéger les yeux**

Même les shampoings sans larmes piquent. Pour protéger les yeux de votre enfant, posez une débarbouillette sèche sur le front et maintenez-la en place pendant que vous lui rincez les cheveux.

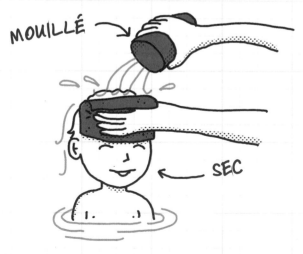

MOUILLÉ

SEC

De solides élastiques autour des bouteilles pour assurer une meilleure prise

Pour éviter que les bouteilles de shampoing vous glissent des mains, entourez-les de gros élastiques – utiles quand vous donnez le bain à votre petit et aussi quand il sera assez grand pour se laver tout seul.

PRISE INSTANTANÉE

ANTIGLISSE

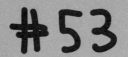

La **coupe des ongles sans tracas**

Les doigts des bébés sont petits. Et les ongles, *minuscules*! Il faut pourtant les couper, souvent même, et avec un coupe-ongles bien affuté. Mais ils sont attachés à de petites mains molles.

Placez votre enfant dans un porte-bébé frontal pour lui couper les ongles. Il restera calme et relativement immobile, et vous aurez deux mains pour les couper avec précision.

(Certains parents les coupent pendant que leur petit dort, mais cela n'a jamais fonctionné pour moi. Mon fils avait le sommeil léger, et il était hors de question que je le touche une fois endormi.)

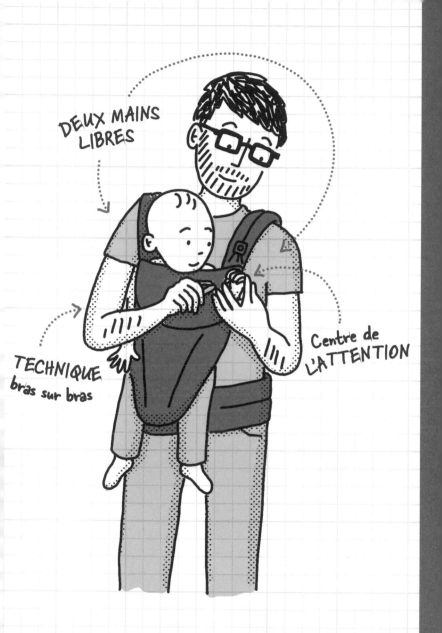

DEUX MAINS LIBRES

TECHNIQUE
bras sur bras

Centre de L'ATTENTION

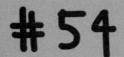

Un élastique pour cheveux sur le robinet d'eau chaude.

Au fur et à mesure que votre enfant se familiarisera avec le bain, il voudra toucher à tout et sera tenté par les poignées, les boutons et les robinets. Rappelez-lui d'éviter le robinet d'eau chaude en entourant celui-ci d'un élastique à cheveux rouge. «Ne touche pas au rouge» sera plus facile à comprendre que «Ne touche pas au *Chaud*.»

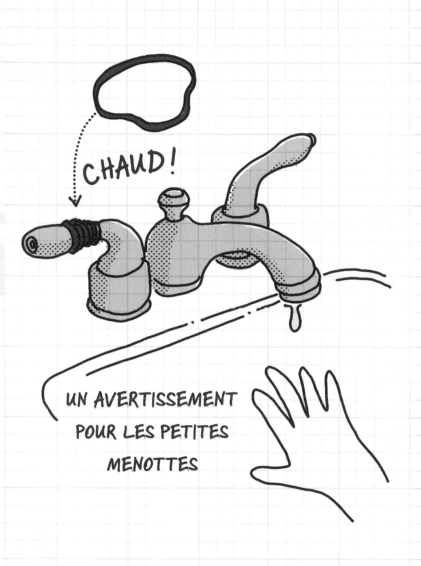

La coupe de la frange avec un ciseau pour le nez

Le ciseau pour le nez est idéal pour couper la frange d'un petit qui se tortille : il est assez aiguisé pour couper avec précision, mais les lames sont petites et les bouts sont arrondis.

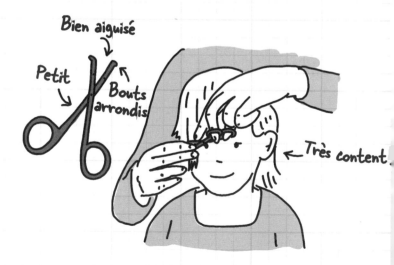

Bien aiguisé

Petit

Bouts arrondis

Très content.

Chapitre 6
Les vêtements

On ne m'avait jamais dit que l'achat, l'organisation, le lavage, le séchage et le pliage des vêtements de mes enfants consommeraient autant d'espace mental! Avec les inconnues que sont la météo et le rythme de croissance des petits, les «vêtements mignons et soignés» des premiers temps sont peu à peu devenus des «vêtements de la bonne taille et généralement propres».

Il suffit d'un peu d'organisation et de quelques bons conseils pour habiller les enfants plus facilement et les garder habillés.

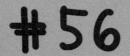

Un tiroir pour les vêtements de la « taille suivante »

En réservant un tiroir pour les vêtements à venir (ou un bac de rangement sous le lit), vous trouverez facilement des vêtements à la taille de votre petit au fur et à mesure qu'il grandit (ce qui semble parfois se produire du jour au lendemain). Et ça vous évitera d'oublier les habits qu'on vous a offerts il y a belle lurette et que votre enfant peut maintenant porter.

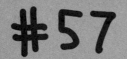

L'enfilage des pantalons sans bouton pression

Avez-vous déjà essayé de glisser les jambes molles ou agitées d'un bébé dans un pantalon ou un pyjama dépourvu de boutons à l'entrejambe? Compte tenu du nombre de changements de couches qui vous attend, voici un bon tuyau.

Plutôt que de vous battre pour glisser le pantalon sur les chevilles et les jambes, placez la main à l'intérieur d'une jambe du pantalon et tirez-la le long de votre avant-bras. Prenez le pied de votre bébé couché sur le dos et laissez la jambe du pantalon glisser sur celle du bébé.

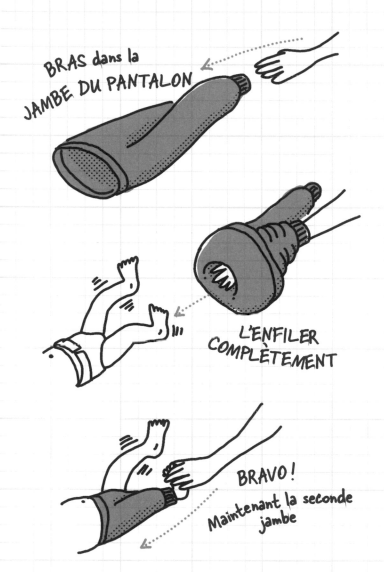

BRAS dans la JAMBE DU PANTALON

L'ENFILER COMPLÈTEMENT

BRAVO! Maintenant la seconde jambe

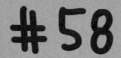

De vieux pulls transformés en jambières

Des jambières pour bébé gardent les jambes bien au chaud et s'enfilent plus facilement qu'un pantalon. Pour en confectionner une paire, coupez les bras d'un chandail trop petit ou les pieds d'une paire de chaussettes.

TCHIQUE!
TCHIQUE!

De la colle pour les collets de bébé

Fixez les collets de chemise et les rabats de poche à l'aide de colle à tissu. Les vêtements auront l'air plus propres à la sortie du sèche-linge. (Soit dit en passant, pourquoi les bébés ont-ils besoin de poches ?)

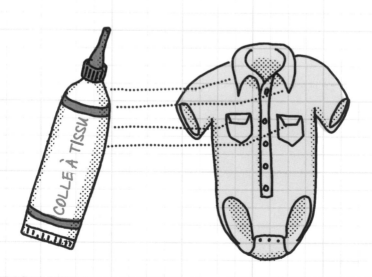

#60

Des cintres doubles du commerce pour suspendre les tuques et les mitaines

Ne vous débarrassez pas de ces cintres malcommodes qui viennent avec les ensembles deux-pièces pour bébé. Utilisez-les pour suspendre les tuques et les mitaines.

ATTACHER et SUSPENDRE

Un fer plat pour repasser les petits vêtements

Repassez en un tour de main les ruches, les ourlets, les boucles et les poignets à l'aide d'un fer plat bien chaud (un outil beauté pour raidir les cheveux).

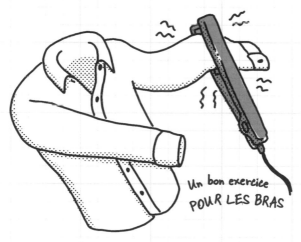

Un bon exercice POUR LES BRAS

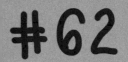

Une bande élastique pour resserrer un pantalon lâche

Voici une astuce brillante de simplicité pour resserrer la taille d'un vêtement lâche : un élastique, un nœud et c'est fini. Passez une bande élastique dans deux ganses d'un côté de la ceinture et attachez-la au moyen d'un nœud plat. (Si nécessaire, faites la même chose de l'autre côté.) En l'absence de ganses, utilisez une pince à mitaines pour sangler la taille.

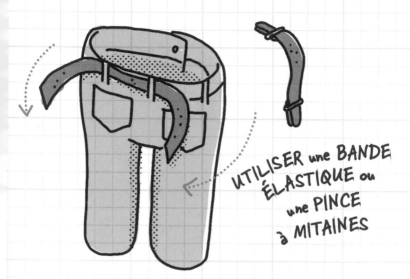

UTILISER une BANDE ÉLASTIQUE ou une PINCE à MITAINES

GLISSER la BANDE ÉLASTIQUE dans les GANSES de la CEINTURE

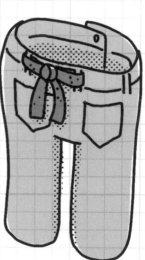

#63

Un élastique pour enrouler les vêtements et permettre aux enfants de s'habiller plus facilement

En enroulant les différentes tenues de couleurs assorties (les chaussettes et tout le reste) et en les attachant lâchement avec un élastique, vous verrez que les tiroirs resteront rangés, que les changements d'habits se feront dans le temps de le dire et que les enfants plus âgés prendront l'initiative de s'habiller eux-mêmes.

LES ÉLASTIQUES
SONT DE RETOUR

DES TENUES

PRÊTES À PORTER

PRESS'N SEAL® DE GLAD

UNE PELLICULE COMPLÈTEMENT ÉTANCHE QUI, EN PLUS D'ÊTRE AUTOADHÉSIVE, DE COLLER RAPIDEMENT À TOUTES LES SURFACES ET DE SE DÉTACHER PROPREMENT, EST CAPABLE DE RÉALISER PLUSIEURS EXPLOITS :

COUVRIR UN VERRE ET Y PERCER UN TROU POUR UNE PAILLE

Napperon improvisé ou surface pour travaux manuels

COLLER DIRECTEMENT les habits et en faire un tablier

IMPERMÉABILISANT temporaire dans la neige

Protège-tablettes pour le FRIGO

e de trempage
our les vêtements tachés

Protéger le tissu
des sièges d'auto

SOUS UN
SIÈGE D'APPOINT
POUR GARDER
LES CHAISES
PROPRES

Protéger les LIVRES
de recettes contre
les éclaboussures

ecouvrir les plateaux
de PEINTURE pour
faciliter le nettoyage

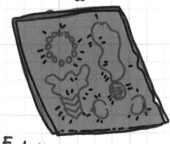

Emballer les BIJOUX
sans les emmêler

#64

L'OURLET RÉINVENTÉ

Un pansement adhésif de premier secours pour raccourcir temporairement un pantalon

Faites l'ourlet d'un pyjama ou d'un pantalon avec un pansement de premier secours : il résiste au lavage et est assez souple pour ne pas irriter la peau sensible.

65

Une pince à cheveux pour attacher les bretelles d'un débardeur

Les camisoles et les robes soleil sont adorables, mais leurs bretelles ont tendance à glisser si elles sont trop longues. Attachez-les dans le dos avec une barrette décorative.

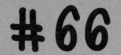

Le dessin du contour des pieds de votre enfant : un bon truc pour acheter vous-même ses chaussures

Tous les quelques mois, posez votre enfant sur une feuille de papier blanc, les pieds bien à plat, et tracez le contour de chaque pied avec un crayon (avec l'aide d'une autre personne si nécessaire).

Apportez ensuite ce modèle au magasin pour déterminer la bonne grandeur.

TRÈS UTILE, et plutôt amusant

Des élastiques qui transforment des chaussures à lacer en chaussures à enfiler

Les chaussures de sport pour petits sont très mignonnes, mais les attacher et les rattacher à tout bout de champ… Pas aussi mignon !

Fabriquez des chaussures à enfiler en remplaçant les lacets par des élastiques d'un peu moins de 1 cm de large. Passez les élastiques dans les œillets, puis nouez les deux extrémités. (Renforcez les nœuds avec de la super colle s'ils se défont.) Coupez-les à la longueur voulue et rentrez les extrémités dans les *lacets* attachés.

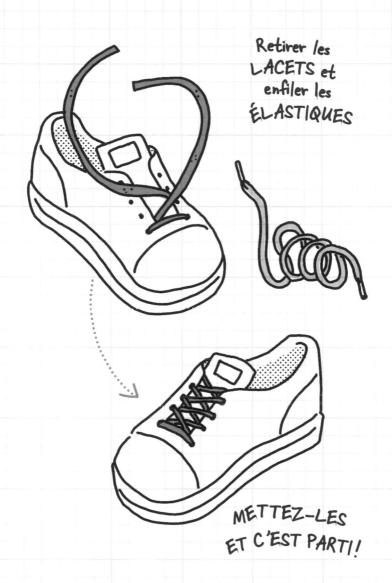

Retirer les LACETS et enfiler les ÉLASTIQUES

METTEZ-LES ET C'EST PARTI!

La bonne chaussure au bon pied, un jeu d'enfant

Dénichez un autocollant bien voyant et de taille respectable, coupez-le en deux et placez une moitié dans chaque soulier. Dessinez ensuite un G et un D sur les moitiés avec un marqueur indélébile.

Quand votre petit se chaussera tout seul, dites-lui de «reproduire l'image». Ce faisant, il mettra le bon pied dans la bonne chaussure et apprendra plus facilement à distinguer la gauche de la droite.

COUPER!

DIVISER!

COLLER!

6 astuces pour chasser les taches

En tant que parent, vous découvrirez un univers inédit de taches sur les vêtements. Voici quelques conseils pour les déjouer.

1 Réduisez les taches de l'heure des repas. Couvrez votre enfant d'un grand tee-shirt ou d'une grande serviette de table.

2 Munissez-vous de bâtons détacheurs. Là où votre enfant se déshabille, gardez des bâtons prétraitants pour frotter la tache sur-le-champ ou avant de mettre les vêtements dans le panier à linge.

3 Frottez les petites taches. Utilisez une brosse à ongles ou une vieille brosse à dents et une pâte faite de bicarbonate de soude et d'eau.

4 Remplissez un seau d'eau froide et ajoutez-y 10 millilitres de javellisant non décolorant. Plongez-y les vêtements tachés dès que possible, puis lavez-les tous en même temps.

5 Utilisez le cycle de trempage du lave-linge. Pour bon nombre de taches, il suffit de les tremper plus longtemps dans le détergent.

6 Déshabillez votre enfant. Avant les repas, ôtez-lui son haut, puis à la fin du repas, essuyez-le bien comme il faut.

Chapitre 7
La nourriture
et les repas

Pendant la grossesse, le cordon ombilical veillait à nourrir le bébé, mais maintenant, c'est à vous de décider le quoi, le quand et le comment de son alimentation.

Pourvoir à la subsistance d'un petit être humain est une tâche à la fois géniale et terrifiante. Entre l'allaitement au sein, les biberons, la transition aux aliments solides et la gestion de tout l'attirail qui vient avec, la pression de « bien faire » est énorme. Mais comme beaucoup d'autres responsabilités parentales, la manière dont vous nourrissez votre petit est un choix personnel, et les façons de bien faire sont nombreuses.

69

Un soutien-gorge de sport recyclé en **soutien-tire-lait mains libres**

Pour les mères qui allaitent, une réserve de lait est un cadeau du ciel. Mais tirer le lait comme tel est une tâche assez prenante et quelque peu étrange. (Étonnant ce que les mamelons peuvent faire!)

Cette tâche des plus monotones peut se transformer en pause bien méritée. Procurez-vous un soutien-gorge de sport confortable et découpez dans chaque bonnet un trou juste assez grand pour y passer l'embout du coussin masseur. Après avoir enfilé le soutien-gorge et installé le tire-lait, vous aurez les mains libres pour taper sur un clavier, tricoter ou lire.

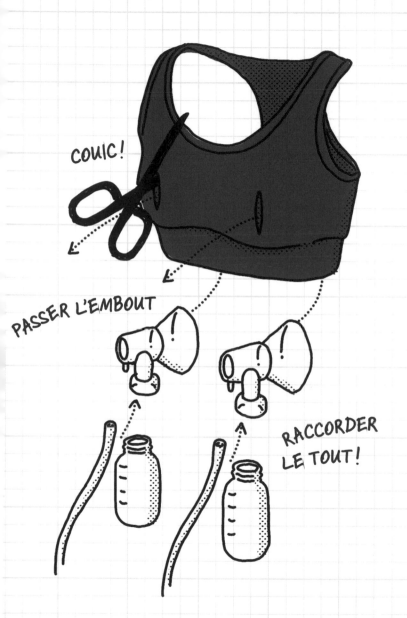

COUIC!

PASSER L'EMBOUT

RACCORDER LE TOUT!

#70

Couper ici

Insérer là

Des protège-dessous version coussinets d'allaitement

Une autre «caractéristique excitante» des premiers mois de la maternité: des seins qui coulent!

Les coussinets – ces serviettes absorbantes que vous glissez dans le soutien-gorge – retiennent les écoulements soudains, mais pour certaines femmes, des protège-dessous coupés en deux fonctionnent tout aussi bien et coûtent une fraction du prix.

71

Six bouteilles de lait maternel dans un carton de bière… Pourquoi pas?

Au frigo, gardez des bouteilles de lait maternel classées par date dans un carton de six bières. Notez la date à laquelle le lait a été tiré sur la bouteille avec un marqueur effaçable à sec. Adieu les dégâts dans le frigo et bonjour les blagues des amateurs de bière.

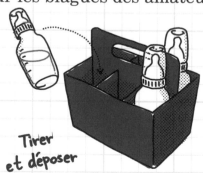

Tirer et déposer

#72

La **congélation du lait maternel** dans des bacs à glaçons – rangement facile et dégel rapide

Oubliez les petits sacs en plastique. Optez plutôt pour un bac à glaçons avec couvercle, bien propre, et versez-y le lait. Choisissez un bac dont les glaçons s'inséreront facilement dans l'ouverture des bouteilles. Une fois le lait congelé, transférez les glaçons dans un sac à congélation et notez la date.

Lorsque vous aurez besoin de lait, placez autant de glaçons que nécessaire dans la bouteille et immergez-la dans un contenant d'eau chaude pour accélérer la décongélation.

VERSER LE LAIT
dans un bac propre

CONGELER et
TRANSFÉRER
LES CUBES

PRÊT-À-BOIRE!

6 tuyaux pour mieux tirer le lait

La plupart des mamans qui allaitent ont un rapport intime avec leur tire-lait, et pour bon nombre d'entre elles, c'est une relation complexe : utile, mais embarrassante. Si l'allaitement facilite la vie, il exige tout de même un effort soutenu. Voici quelques conseils de mères allaitantes.

1 Fabriquez-vous un soutien-gorge-tire-lait mains libres (voir la page 52).

2 Buvez de l'eau en tirant votre lait.

3 Penchez-vous vers l'avant et massez-vous les seins. (Laissez la gravité agir.)

4 Fermez les yeux, respirez profondément, visualisez une cascade bruyante. (Sans blague, certaines mères ne jurent que par cela !)

5 Achetez des pièces de rechange de manière à toujours avoir un ensemble propre sous la main. Gardez un deuxième tire-lait au travail si vous en avez les moyens ou en trouvez un de seconde main.

6 Conservez le lait maternel à la température de la pièce pendant quatre heures (c'est bon à savoir en l'absence de frigo).

Des pastilles pour dentiers : **un produit nettoyant inusité pour les pièces des gobelets...**

Pour rafraîchir les gobelets de temps à autre, mettez trois pastilles pour dentiers dans un bol d'eau chaude. Ajoutez-y les pièces du gobelet et laissez tremper environ 30 minutes. Rincez le tout sous l'eau courante et laissez sécher.

POUR NETTOYER DES DENTIERS...

... OU DES PIÈCES MALODORANTES DES GOBELETS ANTIFUITE

Une bouteille à mélanger pour le lait maternisé

Une bouteille plastique graduée avec un large bec verseur, aussi appelée *shaker*, est très populaire chez les adeptes du plein air qui s'en servent pour préparer des boissons nutritives. Mais elle est aussi idéale pour mélanger plusieurs rations de lait maternisé.

AGITER VIGOUREUSEMENT...
BIEN FERMER
LE COUVERCLE!

Un **doseur de lait en poudre compartimenté** recyclé en tasse pour collations sèches

Les parents adorent les doseurs de lait en poudre pour préparer le lait maternisé lorsqu'ils ne sont pas à la maison. Quand votre petit aura passé l'âge du lait maternisé, utilisez le doseur pour conserver des aliments secs pour la collation.

TOURNEZ ET GOÛTEZ!

LE REVÊTEMENT ANTIDÉRAPANT POUR TABLETTE

UNE MERVEILLEUSE INVENTION QUI ADHÈRE AUX SURFACES PLANES ET LISSES.

PROCUREZ-VOUS-EN UN ROULEAU, OU DEUX OU TROIS...

COUSSINET POUR CHAISE GLISSANTE
(garde les popotins et les sièges d'appoint bien en place)

Pour le séchage des BOUTEILLES, etc.

Sous la planche à découper

Sous le petit POT

Autour des BARRETTES pour cheveux

Pour ouvrir les BOCAUX
(excellent pour les aliments de bébé)

Sous les CARPETTES

Sous le SAVON et le SHAMPOING dans la douche

Sous les bols du CHIEN

Derrière les CADRES pour les maintenir en place

Autour des cintres pour empêcher les VÊTEMENTS de glisser

Sous les NAPPES

Sous les pièces du PUZZLE

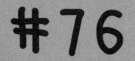

Un porte-bouteille isotherme pour le gobelet antifuite

Plusieurs marques de gobelets antifuite s'insèrent très bien dans un porte-bouteille isotherme. Les liquides resteront frais plus longtemps et le gobelet se tiendra mieux.

FAITES-VOUS PLAISIR!

QUE DE BONNES VIBRATIONS

Un **support à ventouse** pour protéger les valves du gobelet antifuite.

Les valves des gobelets s'égarent facilement ou disparaissent dans le drain de l'évier. Ramassez-les et faites-les sécher dans un support à ventouse posé dans l'évier.

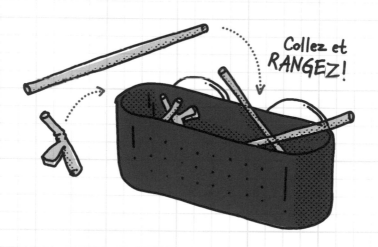

Collez et RANGEZ!

16 ingrédients indispensables dans la cuisine

Un enfant grincheux peut faire dérailler le repas le mieux organisé. Il vous faut donc des ingrédients passe-partout pour composer rapidement un repas consistant et nutritif. Considérez cette liste comme une bouée de sauvetage…

1 Pâtes. Des pâtes sèches ou congelées sont l'ingrédient de base de nombreux plats simples dont les enfants se régalent.

2 Sauces en bouteille. Des sauces de bonne qualité (soya, barbecue, marinara, cari) apportent une touche de saveur instantanée aux viandes et aux légumes grillés.

3 Assaisonnement tout-usage. Un peu de sel et de poivre, de la poudre d'ail et d'oignon, font ressortir la saveur des aliments.

4 Bouillon. Pour relever le goût de grains, de soupes et de sauces, ajoutez-y du bouillon de poulet, de bœuf ou de légumes (en boîte, en concentré ou en cubes).

5 Thon et saumon en boîte. Ajoutez du poisson dans vos salades ou faites-en des boulettes de burgers.

6 Haricots en boîte. Une excellente protéine bon marché qui est pratiquement prête à manger (surtout s'il y a de la salsa au frigo).

7 Tomates en boîte. De nombreux repas minute commencent avec une boîte de tomates ou de sauce tomate.

8 Graines et grains à cuisson rapide. Mettez le riz, le quinoa, le boulgour ou la semoule à cuire pendant que vous préparez le reste du repas.

9 Huile d'olive. Utilisez-la dans les sautés de toutes sortes et dans les vinaigrettes.

10 Beurre. Une noix de beurre et une pincée de sel relèvent la saveur et l'onctuosité des légumes vapeur, des pâtes et du riz.

11 Œufs. Brouillés, frits, à la coque… En peu de temps, cet aliment vous procure une source de protéines polyvalente.

12 Ail et gingembre hachés. Gardez-en au frigo, dans un bocal distinct, et ajoutez ces condiments à vos plats sans avoir à les hacher au préalable.

13 Fromages râpés. Parmesan, cheddar et mozzarella se congèlent très bien.

14 Légumes assortis congelés. Ce produit de qualité à prix raisonnable vous évite d'avoir à laver et à couper les légumes.

15 Pièces de viande à cuisson rapide. Demandez au boucher de parer, de couper et d'emballer la viande de manière à pouvoir la cuire tout de suite ou la congeler.

16 Saucisses et boulettes de viande. Ajoutez-les aux pâtes ou à un sauté, et servez le tout avec une sauce barbecue.

#78

Un ciseau à lame dentelée pour couper les aliments

Un ciseau à lame dentelée vous permet de couper en petites bouchées des aliments avec lesquels les enfants peuvent s'étouffer, comme les raisins et les hot-dogs, ainsi que les spaghettis et les bâtonnets de fromage, et ce, sans salir de planche à découper ni avoir à s'embêter avec le couteau du chef.

Un **menu** **dégustation** dans un **bac à glaçons**

Votre petit se méfie des nouveaux aliments que vous servez aux repas, mais se rue sur les bouchées offertes au supermarché. Vous connaissez cela ? Si oui, remplissez un bac à glaçons d'amuse-gueules et régalez-le.

Menu
DÉGUSTATION!

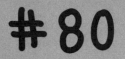

Un verre à shooter pour **de petites mains**

Si votre enfant veut boire dans un verre régulier, proposez-lui pour commencer un verre à shooter ou un pot d'aliments pour bébé. Avec moins de liquide à renverser, la manipulation sera plus aisée.

VERRES À BOIRE POUR MENOTTES

Le **ketchup sous la saucisse**

Quand votre enfant a atteint l'âge de manger un hot-dog entier, étendez le ketchup dans le creux du pain avant d'y déposer la saucisse. Ça limitera les dégâts sur les mains et les vêtements.

ASSEMBLAGE

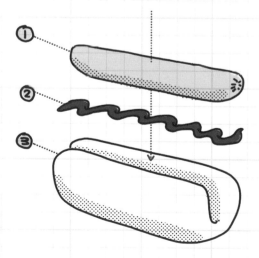

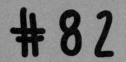

Des **sandwichs** *renversés* pour passer les deux bouts du pain

Quand j'étais petite, ma mère me disait que je devais manger les extrémités du pain parce que la croûte était la partie la plus nutritive. Cela avait du sens… après tout, la peau de la pomme n'est-elle pas la plus nourrissante? Comme une bonne fille docile, j'ai donc mangé mes croûtes.

Si votre enfant est plus futé que je ne l'étais, mettez la croûte à l'intérieur du sandwich. Votre enfant ne remarquera probablement rien.

SI VOUS N'AVEZ PLUS CETTE PARTIE DU PAIN...

ALLEZ-Y POUR LE DOUBLE RENVERSÉ!

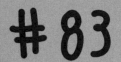

Refroidir les aliments chauds en y ajoutant des fruits ou des légumes congelés

Pour refroidir rapidement les aliments, ajoutez-y des fruits ou des légumes congelés, des glaçons ou une sauce froide. (Par exemple, des bleuets congelés dans un gruau chaud ou de la sauce tomate réfrigérée dans des pâtes fumantes.) Les aliments congelés dégèlent et la sauce froide se réchauffe en refroidissant les aliments chauds.

GLAÇONS

Chocolat CHAUD

BLEUETS CONGELÉS

GRUAU

SAUCE TOMATE FROIDE

PÂTES

Pois et carottes CONGELÉS

Soupe poulet et NOUILLES

#84

Un cure-dents enveloppé d'une lingette pour **nettoyer la chaise haute**

Enveloppez le coin d'une lingette autour d'un cure-dents et passez celui-ci le long des rainures difficiles à atteindre. Le cure-dents est assez petit pour s'y insérer et la lingette dissout la saleté.

La saleté peut courir, mais ON FINIT TOUJOURS PAR LA RATTRAPER.

Chapitre 8
La santé et la sécurité

La vie de famille est remplie de nez coulants, d'otites, d'égratignures et autres aléas imprévisibles, et rien n'est plus épuisant ou inquiétant qu'un enfant malade ou blessé.

Comme il est impossible de protéger vos enfants contre tous les virus et les coins de table, vous devez vous armer de quelques *remèdes* qui simplifieront les journées de maladie. Tout ce qui aidera votre enfant et vous aussi, bien sûr, à rester calmes et reposés accélérera la guérison pour que vous repreniez votre vie normale, quelle qu'elle soit, le plus rapidement possible.

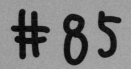

Des bracelets en silicone qui gardent les portes d'armoire fermées

Enroulés autour des poignées d'armoires, les bracelets en silicone font office de serrures : ils sont assez ajustés pour empêcher un bébé d'ouvrir les portes et assez flexibles pour qu'un adulte les retire facilement. Vous n'avez pas de bracelets ? Utilisez des élastiques.

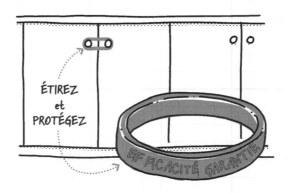

ÉTIREZ et PROTÉGEZ

EFFICACITÉ GARANTIE

Une tétine de biberon pour administrer les médicaments

Vous n'arrivez pas à donner à votre petit les médicaments qui s'administrent au compte-gouttes? Une solution toute simple : bouchez le trou d'une tétine avec le doigt, versez-y le médicament, puis mettez la tétine dans la bouche de bébé.

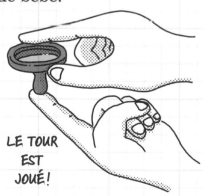

LE TOUR EST JOUÉ !

LA NOUILLE DE PISCINE,

UN INCONTOURNABLE DE L'ÉTÉ, EST INCROYABLEMENT POLYVALENTE. COUPEZ-LA À L'AIDE D'UN COUTEAU DENTELÉ ET DÉCOUVREZ-EN LES NOMBREUX USAGES...

PORTE-CARTES

COLLIER DE PERLES GÉANTES

JOUET GICLEUR

Vers le boyau

Panier de BASKET-BALL

Butoir de port

Pour coins de table et bordures tranchantes

Pour ressorts de trampoline

PISTE pour billes, balles

et petites voitures

BLOCS DE CONSTRUCTION... silencieux

SÉCHAGE sans marque de pliure

ÉPÉE ou bâton de golf intérieur

PROTECTEUR

Pour porte-bagages

La santé et la sécurité **181**

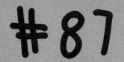

Un pense-bête infaillible pour les médicaments

Votre petit est malade et doit prendre X millilitres de médicaments toutes les Y heures pendant Z jours… Non, ce n'est pas un test de mathématiques. Suivre la posologie peut plonger dans la confusion la personne la mieux organisée, surtout si des doses sont administrées la nuit et que les deux parents se partagent la tâche.

Simplifiez-vous la vie en notant avec un marqueur effaçable les détails de la posologie sur le miroir de la salle de bain, à proximité des médicaments.

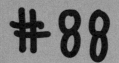

Le combo mouchoirs propres-mouchoirs sales

Pour éviter l'éparpillement des mouchoirs, avec du ruban d'emballage ou des élastiques, attachez ensemble deux boîtes de mouchoirs, l'une pleine et l'autre vide, puis jetez les mouchoirs sales dans la boîte vide.

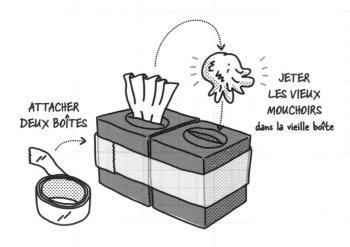

ATTACHER DEUX BOÎTES

JETER LES VIEUX MOUCHOIRS dans la vieille boîte

89

Le petit pot pour d'autres urgences nocturnes

Le nettoyage post-dégobillage en pleine nuit sera nettement plus facile si vous avez eu la bonne idée de placer le petit pot près du lit. Grâce à sa base solide, le pot ne se renversera pas et vous n'aurez qu'à vider et laver la partie intérieure.

8 activités pour parents, sans gardienne

Vous avez absolument besoin d'une gardienne pour refaire le plein d'énergie relationnelle qui, sans toujours vous en apercevoir, est presque à plat. Mais s'il est impossible de sortir, rabattez-vous sur des activités agréables avec des amis ou une soirée romantique avec votre partenaire. Bien sûr, le risque d'interruption est non négligeable, mais qui sait, ce sera peut-être la nuit où votre petit dormira comme une souche jusqu'au matin.

1 Soirée cinéma
Installez-vous dans le lit plutôt que sur le divan et regardez un film sur le portable, puis remplacez le popcorn par une pizza, et arrosez-la avec une boisson pour adulte, si désiré.

2 Des guimauves grillées maison
Grillez les guimauves au-dessus d'une flamme au gaz ou faites rôtir des biscuits Graham avec du chocolat et des guimauves dans un four à 200 °C (400 °F) pendant trois à cinq minutes.

3 Souper en tête-à-tête Donnez à manger à votre progéniture comme d'habitude, mettez-la au lit, puis préparez-vous un repas spécial. Faites livrer des plats prêts à manger, sortez la porcelaine et les chandelles, débouchez une bouteille de vin, mettez de la musique (pas trop fort) et passez la soirée à discuter sans être interrompus.

4 Ce soir on joue!

Les jeux de société et de cartes ont beaucoup évolué, et vous en dénicherez de très amusants dans les boutiques spécialisées plutôt que dans les traditionnels magasins de jouets. Oubliez le Monopoly et laissez-vous inspirer. Si les jeux de société ne vous disent rien, essayez des jeux vidéo, sinon faites des mots croisés ou des puzzles avec votre douce moitié.

5 Un peu d'artisanat

La création d'une œuvre à quatre mains, ça peut donner des résultats inespérés!

6 Une soirée étoilée

Une fois les enfants couchés, sortez quelques couvertures (et l'interphone bébé si nécessaire) et installez-vous dans un endroit confortable pour contempler les étoiles. Vous vous demanderez pourquoi ne pas l'avoir fait plus tôt!

7 Du pelotage dans la voiture

À moins de vouloir donner un spectacle gratuit au voisinage, mettez la voiture dans le garage.

8 De bonne heure au lit

Allez vous coucher tout de suite après les enfants. Laissez tomber la vaisselle, la liste des tâches, la télévision, etc. (À vous de décider ce que vous ferez une fois la porte fermée.)

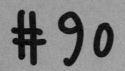

90

Une petite pince pour bâtons glacés

Pour certains enfants, la grippe intestinale a un bon côté : les bâtons glacés qu'ils sucent pour se réhydrater. Mais ces bâtons ont tendance à retomber dans leur emballage plastique, ce qui complique la manipulation pour les petites menottes.

Solution rapide : faites sortir le bâton du plastique en le pressant, puis fixez un pince-notes ou une épingle à linge au bas du sac pour garder le bâton en place.

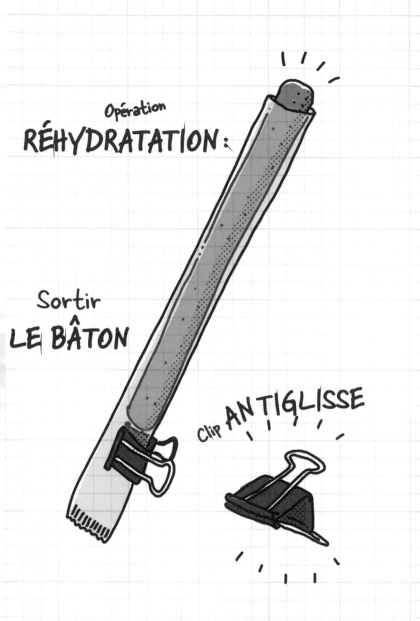

Opération
RÉHYDRATATION :

Sortir
LE BÂTON

Clip ANTIGLISSE

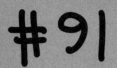

#91

Pour en finir avec la peau gercée de bébé

Il vous reste de la crème pour mamelons? Utilisez-la pour protéger et soulager la peau rendue rugueuse par le perçage des dents, le suçage du pouce et les essuyages fréquents.

POUR SOULAGER toute peau irritée

Chapitre 9
S'amuser et apprendre

Devenir parent, c'est un cours accéléré de maturité d'une part et la redécouverte des plaisirs de l'enfance d'autre part. Grimacer et chanter à pleine voix sont des moyens tout à fait corrects de divertir votre enfant et de démontrer vos excellentes compétences parentales. *S'amuser fait désormais partie de votre description de tâches.*

Il y a mieux encore : pour les tout-petits, la distinction entre le jeu, le travail et l'apprentissage n'existe pas. Toutes les occasions de jeu sont riches en enseignements.

Et moins de temps vous consacrerez à la gestion des jouets et des fournitures, plus vous en aurez pour prendre du bon temps.

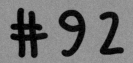

Le lave-vaisselle, une surface de jeu

Pour développer la dextérité de votre enfant tout en accélérant l'inévitable ménage qu'il vous laissera après vous avoir *aidé* à mesurer des ingrédients, posez le bol ou la tasse à mesurer sur la porte ouverte du lave-vaisselle pour lui donner une surface à sa hauteur.

UN DÉGÂT SANS TRACAS!

Le lavage des petits jouets dans un sac à lingerie au lave-vaisselle

Si les blocs Lego et les animaux en plastique s'encrassent, mettez-les dans un filet de lavage refermable, puis dans le plateau supéricur du lave-vaisselle.

Remplir et laver

MÊME QUAND VOTRE ENFANT AURA PASSÉ
L'ÂGE DES LINGETTES,
IL VOUS EN RESTERA AU MOINS UNE BOÎTE VIDE...
QUI SE PRÊTE À DE NOMBREUX USAGES.
VOICI MES PRÉFÉRÉS :

Rangement des articles scolaires

Pièces de biberon et de gobelets antifuite

Poubelle pour la voiture

Classeur d'épices dans le garde-manger

Distributeur de sacs en plastique

Rangement des petits outils dans le garage

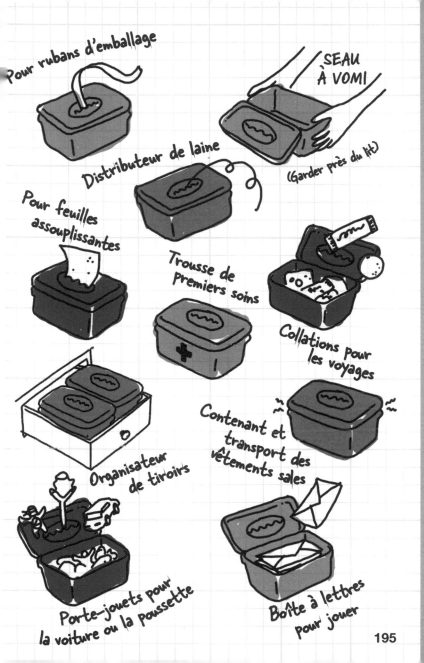

Pour rubans d'emballage

SEAU À VOMI

(Garder près du lit)

Distributeur de laine

Pour feuilles assouplissantes

Trousse de premiers soins

Collations pour les voyages

Organisateur de tiroirs

Contenant et transport des vêtements sales

Porte-jouets pour la voiture ou la poussette

Boîte à lettres pour jouer

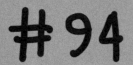

Une crème à mains prépeinture pour un lavage facile

Si vous êtes assez brave pour mettre un pinceau plein de peinture dans les mains de votre enfant, épargnez-vous tout de même un peu de nettoyage : en lui frottant les mains avec de la crème, la peinture s'enlèvera plus facilement.

CRÈME...

... facile à nettoyer !

Un porte-savon pour les crayons de couleur

Un porte-savon de voyage, rectangulaire et en plastique (vendu dans la plupart des magasins à un dollar) est le contenant idéal pour 24 crayons. Débarrassez-vous de la boîte en carton sans doute déjà déchirée et répartissez les crayons dans les compartiments. Ils ne tomberont plus par terre !

Savon sorti...

SAVON

Crayons rangés

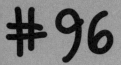

Un panier de nettoyage version trousse d'art portative

Un panier en plastique avec compartiments permet d'organiser les fournitures artistiques et de les transporter facilement jusqu'à la table le moment venu.

De la pâte à modeler pour ramasser les paillettes

Partout dans le monde, on adore, on renverse et on maudit les paillettes décoratives. Il est pourtant amusant de transformer une mésaventure en projet artistique. Roulez de la pâte à modeler sur la table pailletée : la table et la pâte seront resplendissantes. GAGNANT-GAGNANT !

6 moyens d'exposer et d'organiser les œuvres de votre enfant

Le hic avec les projets d'art de votre petit trésor, c'est qu'ils sont tous si mignons. (Ou peut-être pas, mais il est tout de même difficile de s'en défaire.) Aux premiers gribouillages s'ajoutera un déluge de projets artistiques une fois que votre enfant commencera la maternelle. À vous de voir venir et de prendre les moyens voulus sans tarder.

Soulignez les réussites de votre enfant, réinventez les trucs banals et conservez les petits bijoux pour la postérité. Plus vous serez sélective, plus vous permettrez aux vrais chefs-d'œuvre de briller.

Voici quelques idées bien simples pour afficher, réutiliser et préserver les créations artistiques de votre enfant.

1 Créer une galerie d'art dans le couloir ou le garage.

Suspendez un fil auquel vous accrocherez les dessins et peintures (les pince-notes et les pinces à linge fonctionnent bien). Ce sera plus facile de se défaire des anciennes pièces après les avoir exposées.

2 Faire un projet de papier découpé avec des peintures et des dessins.

Recouvrez un objet avec une mosaïque de papier déchiré et de colle de bricolage diluée. Décorez un cadre acheté dans un magasin d'aubaines avec de la peinture aux teintes vives.

3 Emballer les cadeaux avec les dessins.

C'est le moyen idéal de vous débarrasser des grandes feuilles de papier (et le destinataire du cadeau s'en réjouira). Coupez des pièces plus petites pour en faire des cartes de souhaits ou des étiquettes de cadeaux.

4 Laminer les productions artistiques pour en faire des napperons.

Vous pouvez acheter une machine à plastifier (étonnamment utile) ou apporter les pièces originales dans un centre de photocopies. Une fois laminées, les pièces se nettoient avec un essuie-tout humide.

5 Numériser ou photographier les pièces préférées et se défaire des originaux.

Si le cœur vous en dit, faites un album ou un calendrier avec les pièces choisies (service offert en ligne par les centres de photocopie et d'imprimerie).

6 Ranger les projets dans des tubes d'expédition cartonnés.

Les pièces seront bien ordonnées et occuperont un minimum d'espace. Avec les projets qui s'accumuleront, achetez un nouveau tube chaque année.

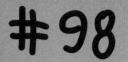

Une passoire pour nettoyer la pataugeoire

Les petits adorent les pataugeoires, mais ce sont les parents qui en débarrassent les feuilles, les bestioles et l'herbe fraîchement coupée. Pour vous faciliter la tâche, utilisez une passoire de cuisine à mailles fines, puis une fois la piscine bien nettoyée, recouvrez-la d'un drap contour pour lit de bébé.

UNE PATAUGEOIRE bien propre

Un bain de balles dans un lit de bébé portable

Les espaces de jeux remplis de balles en plastique et d'enfants surexcités *semblent* très amusants… jusqu'à ce que la pagaille se mette de la partie. Créez votre propre espace en remplissant de balles en plastique un lit de bébé portable ou une pataugeoire.

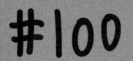

Du yogourt ou du pouding dans un sac à congélation pour une peinture à doigts sans dégât

Votre enfant veut peindre avec les doigts ? Versez du yogourt dans un sac à congélation refermable en expulsant l'air, puis scellez et fermez-le. Posez-le sur la table et laissez vos enfants s'amuser à appuyer sur le sac pour faire des formes.

Si les dégâts font partie du plaisir, versez directement le yogourt sur le plateau de la chaise haute pour une peinture à doigts bonne à manger… Pour d'autres utilisations des sacs refermables, voir les pages 82 et 83.

SPROUTCH

PAS DE DÉGÂT!
PAS DE TRACAS!

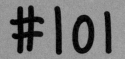

Une plaque à biscuits pour les petites pièces

Si votre enfant aime s'amuser avec des perles, des blocs Lego, des tuiles ou des jeux contenant de petites pièces, transformez une plaque à biscuits en aire de jeu. Les jouets ne s'éparpillent pas, le nettoyage est facile et les petites pièces ont moins de chance de se retrouver par terre où des enfants plus jeunes pourraient les avaler et s'étouffer.

C'est également un bon truc pour garder les crayons de couleur et les marqueurs sur la table.

STOPPER
L'ÉPARPILLEMENT !

(ou presque)

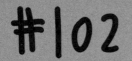

Un bac de rangement version bac à sable

Pour bâtir un bac à sable extérieur, il faut du temps, de l'argent et du talent. Il est beaucoup plus rapide, facile et bon marché de remplir de sable un bac de rangement acheté dans une quincaillerie (si vous n'en avez pas déjà un sous le lit). Déplacez-le en suivant l'ombre, puis couvrez-le lorsque le jeu est terminé.

Pour la version intérieure, remplissez-le de riz – facile à ramasser avec le balai ou l'aspirateur.

PLIABLE, LAVABLE ET IMPERMÉABLE,

LA NAPPE COUSSINÉE EN VINYLE

SE PRÊTE À DE NOMBREUX USAGES. GARDEZ-EN UNE À LA MAISON, UNE AUTRE DANS LA VOITURE. VOUS VOUS EN SERVIREZ PLUS QUE VOUS NE LE PENSEZ !

Tapis de jeu

Tapis à langer

Protège-coffre
(saleté des roues de poussette)

Abri pour une cabane improvisée

Couverture pique-nique

Protège-table

PROTÈGE-
.. PLANCHER
sous la
chaise haute

Sur mesure

Écran opaque

Pince-notes

BAVETTE

PROTÈGE-
FAUTEUIL

TABLIER

Sur mesure

PONCHO pour la pluie

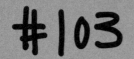

Prolonger la durée de vie des jouets musicaux en ôtant les piles

Les jouets électroniques sont tout aussi amusants sans leurs piles. Les petits n'y verront pas la différence et seront enchantés des mois plus tard lorsque vous mettrez les piles et que le jouet émettra des sons.

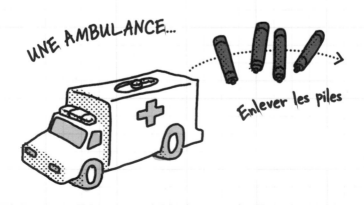

UNE AMBULANCE...

Enlever les piles

Des moitiés d'émission pour réduire le temps d'écoute télé

Vous avez 15 minutes, mais votre fils veut regarder une émission d'une demi-heure. Pour éviter qu'il pique une crise, commencez l'émission au milieu. Il bougonnera moins si vous fermez la télé après le générique final.

Une moitié suffit

LA FERME DE ZÉNON

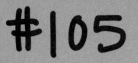

Des aires de jeu définies dans les espaces partagés

Les enfants veulent habituellement apporter leurs jouets là où se trouve le reste de la famille. Donc, dans les espaces partagés, tracez au sol une aire de jeu avec du ruban pour peinture bleu. Les jouets seront confinés à la zone et les enfants apprendront à respecter les espaces communs. Le ruban s'enlève facilement, si jamais le partage des espaces venait à se modifier. Pour d'autres utilisations du ruban pour peinture, voir les pages 52 et 53.

Zone libre de jouets

Tout est permis

La gestion du temps d'écran avec des jetons et une minuterie

Le temps que les enfants passent devant des écrans (télé, ordi, tablette) est à la fois un soulagement et une frustration pour bien des parents. Voici comment le gérer et le surveiller.

Procurez-vous des jetons de poker et une minuterie. Déterminez la valeur de chaque jeton et, si nécessaire, attribuez une couleur à chaque activité.

Expliquez le fonctionnement de la nouvelle «banque électronique». Votre enfant reçoit ou gagne un ou plusieurs jetons chaque jour. Pour chaque jeton qu'il vous paie, il a droit à une certaine quantité de temps.

Les pièces de casse-têtes en bois dans un collant pour les conserver

Coupez le pied d'un vieux collant et glissez-y le casse-tête en bois pour empêcher les pièces de tomber lorsque vous le rangerez.

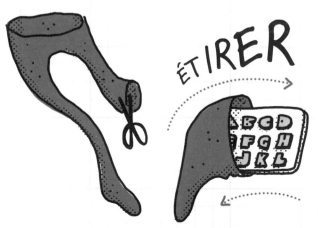

ÉTIRER

Chapitre 10
Les déplacements et les excursions

Un « saut à l'épicerie du coin » et des « vacances reposantes » sont choses du passé. Les courses habituelles se transforment en aventures épiques, et les voyages d'agrément ont leurs inévitables moments de regret (beaucoup de parents disent à la blague avoir besoin de vacances après les vacances).

Si voyager avec des enfants cst un peu plus compliqué, ça demeure tout de même une aventure remplie d'émerveillement et de surprise. En acceptant d'emblée l'imprévisible et en réduisant au minimum les irritants, vous jouirez pleinement de vos escapades familiales.

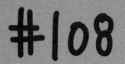

Un cardigan ou une veste polaire en guise de Snuggie

Avez-vous déjà essayé d'attacher votre enfant dans son siège d'auto lorsqu'il porte son habit d'hiver? C'est un peu comme se battre avec une petite version irritable du bonhomme Michelin.

Le mieux, c'est de l'attacher dans son siège sans son manteau d'hiver, puis de lui enfiler le cardigan à l'envers, de manière à lui couvrir les bras et le torse. Il sera chaudement enveloppé, et ça vous évitera de vous contorsionner.

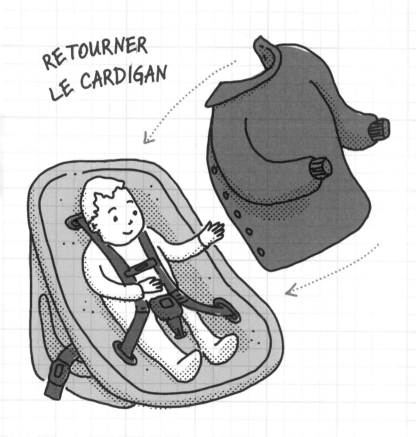

RETOURNER
LE CARDIGAN

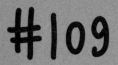

Garder le siège d'auto bien frais avec une serviette

L'été, pour éviter que les boucles de ceinture du siège d'auto deviennent très chaudes, couvrez-les avec d'épaisses serviettes de plage. Ces dernières seront aussi utiles si vous avez besoin de couvertures ou d'oreillers, de nappes pour le pique-nique, de linges pour nettoyer les outils, etc.

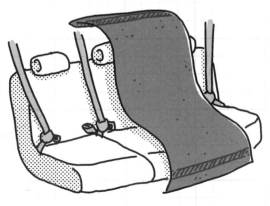

7 fournitures de restaurant qui font des jouets

Quand les jouets ou les livres à colorier ne font plus l'affaire, amusez votre petit avec les objets qui se trouvent sur la table.

1 Bâtonnets à café. Disposez-les sur la table en formant des lettres, des figures géométriques, etc.

2 Pailles. Froissez le papier d'emballage de la paille pour en faire une chenille élastique. Ou enroulez-la autour du doigt pour en faire un ressort bouclé.

3 Cuillères. Une fois la famille installée à une table, demandez qu'on vous apporte des cuillères supplémentaires. Donnez-en une à votre enfant s'il montre des signes d'agitation.

4 Menus. Les bébés adorent tourner les pages, tandis que les plus grands peuvent s'exercer à reconnaître les chiffres et les lettres.

5 Serviettes de table. Jouez à faire coucou avec les tout-petits et au tic-tac-to avec les plus grands.

6 Gobelets en papier. Empilez-les. Emboîtez-les. Faites-en de grosses oreilles ou des jumelles.

7 Enveloppes cartonnées pour boissons chaudes. Faites-en des manchettes de superhéros.

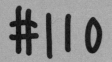

Des caissettes de muffins en guise de porte-gobelet pour la voiture

Les jouets, les emballages, les petites pierres laissent de la poussière, des miettes et autres détritus dans les porte-gobelets. Insérez dans chacun un petit filtre à café ou une caissette de muffins. Retirez-les tout simplement pour les laver.

RAMASSE-DÉTRITUS

Doublure pour les porte-gobelets

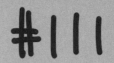

Une attache-mitaines pour ne pas perdre doudou

Si votre enfant traîne son doudou partout où il va, prenez les mesures voulues pour qu'il ne le perde pas. Attachez-le à ses vêtements au moyen d'une attache-mitaines.

Un geste d'amour pour le DOUDOU

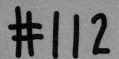

Un sac pour bouteilles de vin version organisateur pour la voiture

Les voyages en voiture se dérouleront rondement si vous arrivez à mettre rapidement la main sur le jouet ou la barre tendre qui fera le bonheur de votre enfant. Un sac pour bouteilles de vin est l'objet tout indiqué. Ses petits compartiments verticaux ont la bonne taille pour y glisser des jouets, des fournitures artistiques et des collations, sans tout mélanger.

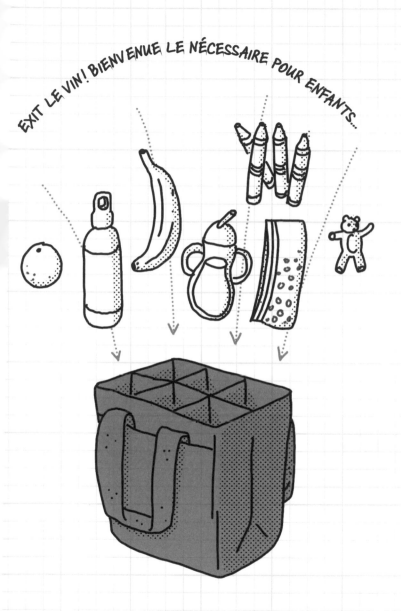

EXIT LE VIN ! BIENVENUE LE NÉCESSAIRE POUR ENFANTS...

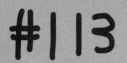

Des poids pour chevilles pour stabiliser la poussette

Il est arrivé à la plupart d'entre nous d'accrocher des sacs aux poignées de la poussette. Mais le poids des sacs peut faire basculer une poussette parapluie vers l'arrière si l'enfant y grimpe ou en descend.

Pour résoudre le problème, attachez des poids pour chevilles aux roues avant de la poussette pour l'équilibrer et la stabiliser.

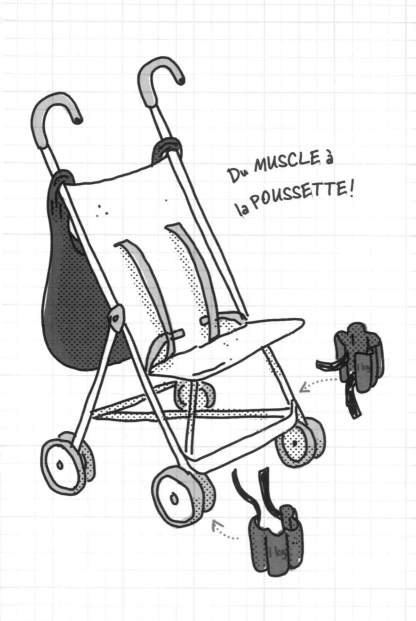

Du MUSCLE à la POUSSETTE!

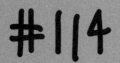

Diminuer l'électricité statique des glissoires : l'assouplissant en feuilles à la rescousse

Si vous avez déjà « réceptionné » votre enfant au bas de la glissoire, vous avez probablement subi une vilaine décharge électrique.

Pour éviter les chocs, frottez la glissoire et les rampes avec une feuille d'assouplissant et assoyez votre petit sur une autre feuille avant la descente.

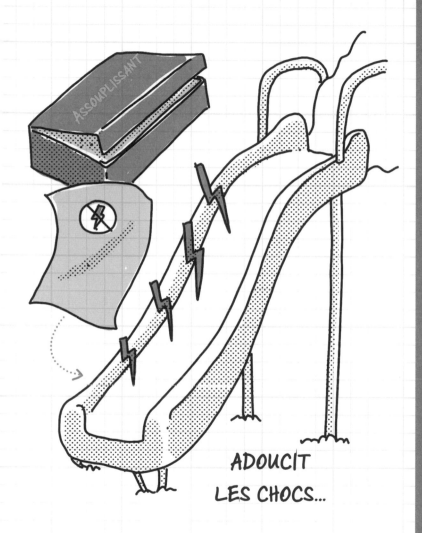

ADOUCIT
LES CHOCS...

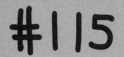

Les crayons de couleur roulent... Un truc pour les arrêter

Pourquoi les crayons sont-ils cylindriques ? Bonne question... car ils se ramassent toujours par terre. Lorsque vous vous penchez sous la table du restaurant pour récupérer les crayons, vous verrez des choses que vous auriez préféré ne pas voir.

Voici un truc tout simple qui vous permettra de finir votre repas : repliez et plissez un ou plusieurs côtés de la feuille à colorier pour créer une barrière entre les crayons et les bords de la table.

PLIER ICI

Stopper la fuite des crayons

Votre numéro de portable sur le bedon de votre petit

Si votre enfant a tendance à s'égarer, ce truc vous procurera un peu de tranquillité pendant que vous vous promenez dans les parcs d'attractions, les aéroports et autres endroits bondés. Avec un marqueur-feutre à encre permanente, notez votre numéro de portable directement sur le ventre de votre bambin errant.

Si vous hésitez à écrire sur le corps de votre enfant, notez votre nom et votre numéro de portable sur un ruban adhésif pour premiers soins et collez-le à l'intérieur de la chemise de votre enfant.

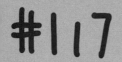

Pour obscurcir le lit de bébé dans la chambre d'hôtel

S'il fait noir et qu'il n'y a pas trop de bruit à l'extérieur, placez le lit près de la fenêtre et couvrez-le avec les rideaux pour masquer la lumière et le bruit à l'intérieur de la chambre, ce qui procurera un environnement calme pour le sommeil de votre bébé.

Ou encore, recouvrez une partie du lit avec le couvre-lit, en bloquant juste assez de lumière pour que votre bébé puisse s'assoupir. (Si vous vous méfiez des couvre-lits d'hôtel, utilisez plutôt un drap plié ou une couverture pour bébé.)

OBSCURCISSEZ VOUS-MÊME LA PIÈCE

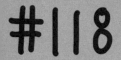

Des diachylons pour couvrir les prises électriques des hôtels

Qui pense à sécuriser les chambres d'hôtel pendant les vacances, hein? Si vous avez des diachylons dans votre trousse de premiers soins, collez-les sur les prises électriques. Sinon, demandez-en à la réception. Ou encore, utilisez du ruban pour peinture (voir les pages 52 et 53).

ÉVITEZ LES CHOCS!

Des bracelets lumineux comme éclairage de nuit

Si votre enfant a de la difficulté à s'endormir dans une pièce obscure et inconnue, mettez dans vos bagages des bracelets lumineux. L'heure du coucher ne sera plus aussi inquiétante.

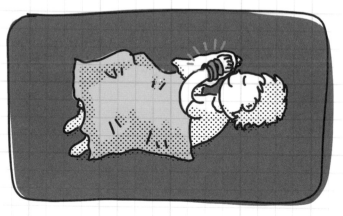

5 sacs fourre-tout pour rationaliser les expéditions

Transformez les fourre-tout en trousses thématiques pour rassembler les trucs que vous égarez régulièrement ou que vous devez prendre à la dernière minute. Voici quelques exemples:

1 Sac des retours et échanges. Articles que vous devez retourner, et les coupons de caisse.

2 Sac de bibliothèque. Livres à retourner.

3 Sac de natation. Lunettes de natation, crème solaire, verres fumés, sandales, couche imperméable, shampoing et revitalisant en format voyage, peigne ou brosse, serviettes et quelques dollars pour la collation.

4 Sac de dons. Vêtements, accessoires et autres articles.

5 Sac de pique-nique. Serviettes et assiettes de papier, ustensiles en plastique, serviettes de table, nappe en vinyle, panier de pique-nique.

De la poudre pour bébé pour chasser le sable

Voici un truc pour dessabler votre bébé en l'absence de robinet : saupoudrez-le d'une généreuse quantité de poudre pour bébé ou de fécule de maïs. La poudre assèche instantanément la peau, et vous pouvez maintenant chasser le sable avec les mains.

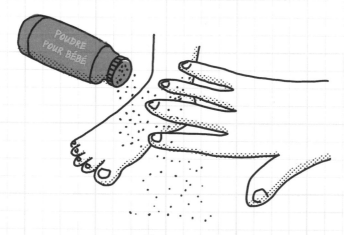

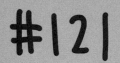

Vos objets précieux cachés dans une couche jetable pendant la baignade

Vous voulez faire trempette, mais vous hésitez à laisser vos affaires sans surveillance ? Voici l'astuce : enveloppez vos clés et votre porte-monnaie à l'intérieur d'une couche jetable propre. Rares sont les petits voleurs qui auront l'idée de la prendre ou d'en examiner le contenu. Assurez-vous cependant de ne pas jeter par mégarde votre paquet spécial en partant.

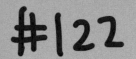

Un traîneau en plastique pour la plage

Allons à la plage ! Quelle belle idée, dites-vous, jusqu'à ce que vous pensiez aux enfants, aux serviettes, aux jouets, aux collations, etc., qu'il faut transporter de la voiture jusqu'au bord de l'eau.

Avez-vous pensé à votre traîneau en plastique ? Chargez-le avec le reste de l'attirail de plage et tirez le tout sur le sable, ça vous évitera ainsi plusieurs allers-retours à la voiture.

Le TRAÎNEAU TOUT-USAGE!

7 façons d'occuper les enfants en avion (sans appareil électronique)

Les enfants ont le don d'épuiser tous les trucs auxquels vous avez pensé pour les divertir. Voici quelques suggestions qui devraient les occuper avec les fournitures de cabine.

1 **Transformez** les sacs vomitoires en marionnettes.

2 **Recherchez** des images d'avion, de chiots ou de fleurs dans le magazine de bord.

3 **Dessinez** des moustaches, des sourcils et des chapeaux sur les photos de personnes dans les publicités du magazine.

4 **Explorez** la carte de l'itinéraire de vol.

5 **Demandez** à l'agent de bord un journal local ou un autre magazine.

6 **Demandez** une couverture pour en faire une *cabane* individuelle.

7 **Utilisez** des gobelets et les bâtons en plastique du chariot de boissons (voir à la page 223 des suggestions).

Chapitre 11
Les vacances et les occasions spéciales

Les anniversaires et les vacances font monter l'anxiété d'un degré ou deux, même chez les parents les plus cool.

On accuse souvent les soi-disant magazines *mode de vie* de créer des attentes irréalistes, mais je crois qu'il y a plus. Nous voulons donner à nos enfants d'heureux souvenirs et nous nous mettons de la pression pour que les Grands Moments se déroulent impeccablement. *Je devrais accrocher quelques décorations, confectionner moi-même le gâteau...*

Les vacances et les fêtes les plus réussies sont celles qui sont remplies de rires, d'échanges et de bonne humeur. Peu importe que le gâteau ait été acheté ou que les décorations aient été bricolées à la va-vite (ou sont inexistantes).

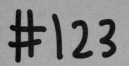

La **coupe du gâteau à la soie dentaire**

Si vous coupez le gâteau à une table entourée d'enfants surexcités, laissez tomber le couteau. Enroulez un bout de soie dentaire non aromatisée autour de vos doigts, déposez-le sur le gâteau, puis appuyez-le fermement et également pour le trancher. Plus propre, plus rapide et plus sûr.

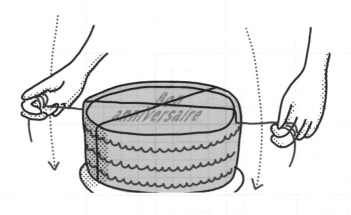

Le rangement des rouleaux de papier cadeau dans un minitube

Prenez le tube d'un rouleau de papier hygiénique, coupez-le sur la longueur et refermez-le sur le rouleau de papier cadeau. Le papier restera bien enroulé jusqu'à la prochaine utilisation.

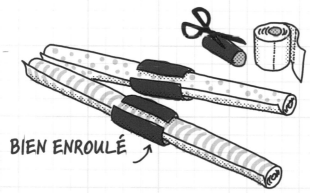

BIEN ENROULÉ ↗

Un moule à muffins pour **servir les boissons**

Voici une stratégie des plus astucieuses pour des fêtes d'anniversaire animées. Placez des verres en plastique dans chaque section du moule. Remplissez-les dans la cuisine, puis servez les invités sans rien renverser.

SERVICE STABLE

La **décoration des œufs de Pâques** dans un moule à muffins

Décorer les œufs de Pâques sans faire de dégâts est difficile. Mais vous pouvez contenir les débordements en remplaçant les bols de teinture branlants par un moule à muffins profond. Versez une couleur différente dans chaque moule.

UNE PETITE TREMPETTE !

La **trempette des œufs de Pâques** avec une fourchette à pâtes

Tremper les œufs de Pâques dans la teinture se fera plus rapidement (et proprement) au moyen d'un instrument autre que les doigts. Une fourchette à pâtes a la forme idéale pour rouler l'œuf dans la teinture, puis l'en ressortir en laissant l'excès s'égoutter.

Le reste de l'année, utilisez la fourchette pour récupérer de petits objets qui ont roulé sous le divan.

FAIT BONNE ÉQUIPE AVEC LES PÂTES ET LES ŒUFS

SAC ET ORGANISATEUR TOUT-EN-UN,

LE PANIER À LINGE EN PLASTIQUE

PEUT ÊTRE REMPLI, RETOURNÉ, PORTÉ ET SUBMERGÉ.
SI VOUS MANQUIEZ D'IDÉES...

JEUX DANS LA BAIGNOIRE

RANGE-CADEAUX

RANGEMENT POUR JOUETS

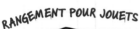

BAC DE RECYCLAGE

PROTÈGE-PLANTES
par
MAUVAIS TEMPS

TRAÎNEAU

Appui pour
LES PREMIERS PAS

FOURRE-TOUT
DE PLAGE

BUT POUR FRISBEE, GOLF

RINÇAGE
DES LÉGUMES
DU JARDIN

BERCEAU

ORGANISATEUR

TRAIN INTÉRIEUR

ET FOURRE-TOUT
POUR LA VOITURE

Un ruban pour ne pas oublier la fée des dents

Pour ne pas oublier le rituel familial de la fée des dents, attachez un ruban sur la poignée de porte de la chambre de votre enfant lorsqu'il a perdu une dent. Programmez ensuite une alerte dans votre téléphone.

Une **citrouille-lanterne grimaçante** au marqueur

Facilitez-vous la vie en créant votre citrouille-lanterne à faire frémir avec des marqueurs lavables. Une fois le dessin terminé, il vous suffira de passer un essuie-tout humide sur les traits de la citrouille pour les faire disparaître.

FACILE À DESSINER
FACILE À NETTOYER

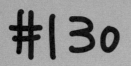

Des décorations de Noël inusitées avec des souliers de bébé

Si ça vous fend le cœur de vous défaire des premiers souliers et jouets de votre enfant, faites-les revivre sous forme de décorations pour l'arbre de Noël.

Des **cadeaux emballés** dans des taies d'oreillers !

Oubliez les coûteux sacs cadeaux et emballez les étrennes de la famille dans des taies d'oreillers ou des serviettes de table en tissu. Vous épargnez du temps, du ruban et des arbres… Tout le plaisir est dans l'effet de surprise (et le peu de nettoyage qui s'ensuit).

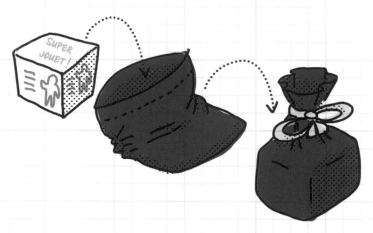

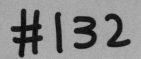

Des séparateurs de caisses de bière comme **range-décorations**

Les séparateurs cartonnés à l'intérieur des caisses de bière ressemblent presque à s'y méprendre aux séparateurs ornementaux vendus dans le commerce. Utilisez-les pour ranger et protéger vos décorations de Noël jusqu'à l'année prochaine. Les contenants d'œufs, les séparateurs de boîtes d'ampoules et certaines caisses de fruits (surtout dans le temps des Fêtes) peuvent remplir la même fonction.

BIÈRE
DES FÊTES

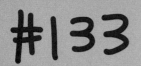

Des grelots dans l'arbre comme sonnette d'alarme

Un sapin haut de deux mètres décoré de lumières scintillantes et de brillantes boules se dresse soudainement dans la salle familiale. Quel petit enfant qui se respecte n'irait pas inspecter la chose?

Comme ce serait un combat perdu d'avance que de vouloir éloigner votre petit de l'arbre, suspendez plutôt des grelots surdimensionnés (que vous trouverez dans les boutiques d'artisanat) aux branches les plus basses de l'arbre. Quand votre petit cédera à sa curiosité, vous entendrez les grelots et pourrez intervenir avant la catastrophe.

Ding ding!

Un ouvre-boîtes et un coupe-ongles pour **les emballages de jouets**

Vous connaissez la « rage de l'emballage », cette intense frustration engendrée par les emballages moulés en plastique rigide et munis d'attaches torsadées antivol, cent fois plus difficiles à ouvrir qu'une huître. Devant cet objet diabolique, armez-vous d'un ouvre-boîtes manuel et d'un coupe-ongles bien aiguisé.

Glissez les côtés de l'emballage dans les lames de l'ouvre-boîtes, puis coupez les attaches avec le coupe-ongles.

6 conseils pour fidéliser une gardienne du quartier

Des ados responsables de votre quartier ont besoin d'un boulot et vous avez besoin d'une pause. Voici comment s'y prendre :

1 Penser local. Le gardiennage repose avant tout sur la confiance mutuelle. Adressez-vous aux jeunes (et aux parents) que vous voyez quotidiennement. Le MIEUX, ce sont des gardiens et gardiennes qui peuvent rentrer à la maison à pied.

2 Faire un essai. Une heure ou deux, pendant que vous êtes à la maison. Vous faites connaissance et il n'y a personne à mettre au lit.

3 Planifier par texto. Après les heures d'école.

4 Confirmer par texto le jour même. On préfère les communications fréquentes et ouvertes.

5 Tout préparer. Sac à couches rempli. Clé supplémentaire. Numéros en cas d'urgence. Collations et repas pour les enfants et le gardien ou la gardienne. Pyjamas et vêtements de rechange.

6 Bien payer. Renseignez-vous sur les tarifs actuels, et choisissez le haut de la fourchette.

Remerciements

Ce livre est l'aboutissement de conversations engagées depuis plus de dix ans avec des milliers de personnes. L'amitié, les conseils et la générosité que j'ai trouvés sur mon blogue ont été extraordinaires.

Je remercie avec une profonde gratitude les lecteurs et lectrices de mon blogue (ParentHacks.com). Quand je lançais des idées et des questions dans le vide, vous m'avez répondu, et quand j'ai eu grand besoin d'une communauté, vous étiez là. Pour moi, cela sera toujours un miracle.

La partie la plus difficile de la rédaction de ce livre a été le choix des astuces. Cette tâche pénible s'est étirée sur des mois, mais après avoir épluché des milliers de débrouilles, nous avons enfin réussi à arrêter nos choix. Un grand merci aux collaborateurs étoiles de ces débrouilles.

Bon nombre d'amitiés se sont nouées à partir d'un simple courriel ou commentaire de blogue. Les histoires que nous nous échangions ont donné naissance à une communauté dynamique d'auteurs, d'artistes et de créateurs qui m'a portée pendant des années. Pour les joies, le soutien et la franche rigolade que cette communauté m'a procurés, je remercie du fond de mon cœur Jessica Ashley, Gabrielle Blair, Alice Bradley, Kristen Chase, Amy Allen Clark, Catherine Connors, Anna Fader, Heather Flett, Meagan Francis, Doug French, Liz Gumbinner, Jeannine Harvey, Christine Koh, Emily McKhann, Whitney Moss, Cooper Munroe, Kyran Pittman, Gretchen Rubin, Karen Walrond, Ginny Wolfe et Rebecca Woolf. J'aurais aimé pouvoir nommer tous ceux et celles qui m'ont inspirée!

Je tiens également à témoigner ma gratitude à mes mentors de la première heure : Brenda Kienan (ma première éditrice), Tim O'Reilly (O'Reilly Media), Cory Doctorow (BoingBoing.net), Dave Pell (NextDraft.com), Dina Freeman (BabyCenter.com), et John Battelle (Federated Media).

Ma relation avec Workman Publishing semblait prédestinée. Je suis très reconnaissante envers mon équipe du tonnerre : ma réviseure Megan Nicolay, le designer Jean-Marc Troadec, les génies de la publicité et du marketing Selina Meere, Jessica Wiener et Noreen Herits, l'éditrice Susan Bolotin ainsi que Kate Karol, Claire McKean et Liz Davis. Je tiens également à remercier Austin Kleon et Jessica Hagy, des auteurs de Workman, pour leur camaraderie et leurs conseils — ainsi que Netta Rabin qui a soutenu ce livre (et Morgan Shanahan et Mike Spohr, de Buzzfeed Parents, qui ont suggéré à Netta d'entrer en contact avec moi).

Adrienne Jones et Kris-Ann Race m'ont aidée à rédiger les premières versions du manuscrit. Merci à ces femmes courageuses de m'avoir épaulée pendant une étape particulièrement difficile de la rédaction.

Ce livre n'aurait pas été aussi réussi sans les illustrations humoristiques de Craighton Berman. Un énorme merci à Josh Getzler, de Hannigan Salky Getzler Agency, pour son soutien indéfectible, sa sagesse et ses encouragements. En terminant, je veux remercier ma famille. Mes parents et mes beaux-parents, envers qui je serai éternellement reconnaissante. Mon mari, Rael, qui est toujours à mes côtés, la plupart du temps à me faire rire. Et mes enfants, Sam et Mirabai, qui sont à l'origine de tout ceci, et qui m'émerveillent encore tous les jours.